Premier pas en Coréen
pour les français

FIRST STEP IN KOREAN FOR FRENCH

Compiled by
The Institute of Continuing Education
of Kyung Hee University

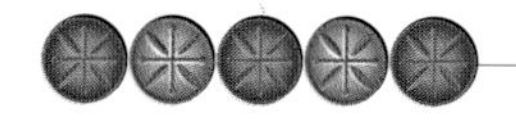

▪ Suk-Ja Lee, Docteur ès Lettres
Professeur, Université Kyung Hee.

▪ Traduit du coréen
par Haisoo Chung
Professeur de recherche, Université Yeungnam

FIRST STEP IN KOREAN FOR FRENCH

Published by MINJUNG SEORIM
37-29, Hoedong-gil, Paju-si,
Gyeonggi-do 413-120, KOREA
Phone: (031) 955-6500~6 Fax: (031) 955-6525~6

Price: 13,000 Won
ISBN: 978-89-387-0010-0 13710

Printed in Korea

Préface

Avec la globalisation, le monde devient de plus en plus petit. Dans une ère d'échange rapide d'information, de technologie et de culture, la compréhension mutuelle entre les pays est essentielle pour survivre dans la communauté internationale. Les qualifications en communication sont la clef pour comprendre d'autres pays et pour être plus concurrentielles sur le marché mondial. Due à cette tendance, la langue coréenne est maintenant devenue une des langues requises par la politique, l'économie et la culture internationales ; la demande pour étudier la langue coréenne se developpe remarquablement. Dans de telles conditions, ce manuel destiné aux étrangers a été préparé pour faciliter l'apprentissage de la langue coréenne. Pour la publication de celui-ci, beaucoup de gens d'horizons divers y ont participé de différentes manières : les spécialistes de la langue coréenne et ceux des langues étrangères tels que l'anglais, le chinois, et le japonais.

Ce manuel ressemblant, au niveau de la méthode, à ceux des autres langues étrangères satisfera la demande des débutants en langue coréenne. D'ailleurs, beaucoup de correcteurs d'imprimerie des pays d'expression anglaise, japonaise et autres ont participé à la correction de ce manuel ; leurs commentaires ont été précieux pour maintenir deux points de vue différents à la rédaction : celui des linguistes et celui des lecteurs réels. La mise à jour et la correction de l'ébauche ont été un gros travail. Surtout celui concernant les images. Nous sommes cependant fiers de fournir beaucoup d'illustrations expliquant les textes. Nous voudrions ainsi reconnaître tous les efforts des personnes engagées à la publication de ce manuel. Nous espérons que celui-ci sera entre toutes les mains des débutants en langue coréenne.

Mai, 2003.

Suk-Ja Lee, Docteur ès Lettres
Professeur, Université Kyung Hee

INTRODUCTION

Ce manuel est conçu pour aider les étrangers à apprendre l'essentiel de la langue coréenne sur une courte période et d'une manière efficace. Il traite à la fois de la langue et de la culture coréennes. Ce livre sera très salutaire pour ces étrangers, récemment arrivés en Corée, qui veulent apprendre rapidement le coréen. Dans ce livre, on trouvera les situations fréquentes que peuvent rencontrer les étrangers face à de nouvelles conditions de vie. Les leçons se composent d'expressions essentielles qui sont nécessaires au début de la vie en Corée, comme se présenter, interroger, dire les dates et les nombres, commander des plats au restaurant, téléphoner, utiliser les transports, retirer de l'argent dans une banque, faire les courses, donner son linge à laver dans une blanchisserie, etc.

Ce livre permet une pratique du coréen, en excluant une explication gramaticale détaillée. Cependant, la grammaire de base n'est pas ignorée ; elle est donnée de manière simple et accessible. Dans chaque leçon, plusieurs points grammaticaux sont expliqués pour faciliter l'apprentissage de la langue. Mais, l'explication n'est pas approfondie et complète ; elle est en relations continuelle avec les dialogues pour éviter toute confusion excessive qui pourrait être provoquéé par la grammaire.

Dans l'apprentissage d'une langue etrangère, la pratique est le facteur le plus important pour que les apprenants digèrent un nouveau système langagier. C'est pourquoi les sections d'exercice ont été soigneusement conçues pour pratiquer chaque leçon. Toutes les questions posées exigent une connaissance des leçons précédentes. Quelques nouveaux mots liés à chaque leçon sont employés pour que les apprenants les utilisent directement dans la vie réelle.

L'enrichissement du vocabulaire est nécessaire pour développer la capacité langagière. De nouveaux mots sont présentés après chaque dialogue. La forme dérivée de mots est donnée telle qu'elle est, pour ne pas confondre les apprentis avec trop de formes conjuguées. D'ailleurs, des exercices de vocabulaire sont donnés, lorsqu'une catégorie de mots doit être presentée. Ainsi se regroupent tous les mots concernant la saison dans la section d'exercices de vocabulaire.

Il faut mentionner que beaucoup d'images sont illustrées pour une compréhension plus concrète des mots et du texte.

Puisque ce livre est conçu pour des étrangers de niveau débutant, les caractères romains fournis par le ministère de l'Éducation sont donnés dans toutes les leçons avec la traduction en français. Cependant, les caractères romains devront être utilisés au minimum pour confirmer seulement la prononciation. La langue coréenne est basée sur le système phonétique, à savoir sur le caractère phonétique comme l'anglais. Ainsi si on l'apprend aux premières pages, il n'est pas nécessaire d'utiliser les caractères romains. Le coréen ne correspond pas avec le français au niveau de la grammaire et des mots.

Pourtant, les phrases traduites en français aident les apprenants à comprendre la signification des phrases en coréen. En tout cas, les caractères romains et les phrases traduites en français sont adaptés pour les débutants de langue coréenne.

Pour la référence, un index est fourni à la fin de ce manuel. Lorsqu'on a un doute au sujet d'un mot ou d'une expression, ou d'un point grammatical, on peut se rapporter à l'index donné. En plus du français, des mots traduits en chinois et en japonais sont donnés pour les lecteurs de ces groupes de langue qui ont quelques difficultés dans l'apprentissage du coréen au moyen de l'anglais.

Les caractères chinois de base sont également insérés aux dernières pages de ce livre. La langue coréenne emploie beaucoup de caractères chinois. Ceux qui veulent apprendre le coréen doivent les étudier pour enrichir leur vocabulaire. Surtout pour ceux qui veulent passer "l'Examen de Compétence du Coréen", il est indispensable d'apprendre les caractères chinois.

La manière coréenne de mesurer, de peser, et de compter est insérée dans une table, comparée aux unités de mesure anglaises. Pour s'adapter à un nouvel environnement, on doit se rapporter fréquemment à cette page.

Dans une vue globale, ce livre est organisé en trois parties de 20 leçons : la première partie contient 6 leçons, la deuxième, 7 lecons, et la troisième, 7 leçons. Chaque leçon comprend "Vocabulaire et Expressions", "Exercices de mot", "Structures et expressions", "Exercices" et la pratique en matière de "lecture".

Au début de ce manuel, les lettres de Hangul sont presentées, et l'index, une table de mesure et des caractères chinois de base sont attachés aux dernières pages.

Si on étudie ce livre dans l'ordre, on obtiendra la compétence élémentaire en langue coréenne, applicable dans la vie quotidienne.

Abréviation des Symboles

( ) signifie le choix facultatif ou une forme de racine d'un verbe.
→ signifie 'changé en' ou 'est devenu'.
\+ indique une frontière des morphèmes.
\- indique une forme attachée.

Prononciation Coréenne

■ Neutralisation Finale de Syllabe : Des consonnes telles que "ㄷ", "ㅈ", "ㅊ", "ㅅ" et "ㅆ" sont prononcées comme "ㄷ" en position finale de syllabe ; telles que "ㄱ" et "ㅋ" comme "ㄱ", telles que "ㅂ" et "ㅍ" comme "ㅂ".

Ex) 밭 [받] le champ 빛 [빋] la lumière
부엌 [부억] la cuisine 앞 [압] avant

■ Enchaînement de Consonne-à-Voyelle : Une fois suivie d'une voyelle, la consonne finale de syllabe est prononcée en position initiale de la voyelle suivante.

Ex) 한국어 [한구거] la langue coréenne
묻어 [무더] se tacher 직업 [지겁] le métier
월요일 [워료일] le lundi

■ Tensification : Les consonnes "ㄱ", "ㄷ", "ㅂ", "ㅅ" et "ㅈ" deviennent les consonnes tendues "ㄲ", "ㄸ", "ㅃ"," ㅆ" et "ㅉ" une fois suivies de toutes les consonnes excepté "ㄴ", "ㄹ", "ㅁ", "ㅇ" et "ㅎ".

Ex) 학교 [학꾜] l'école 닫다 [닫따] fermer
맛보다 [맏뽀다] goûter 젖다 [젇따] être mouillé

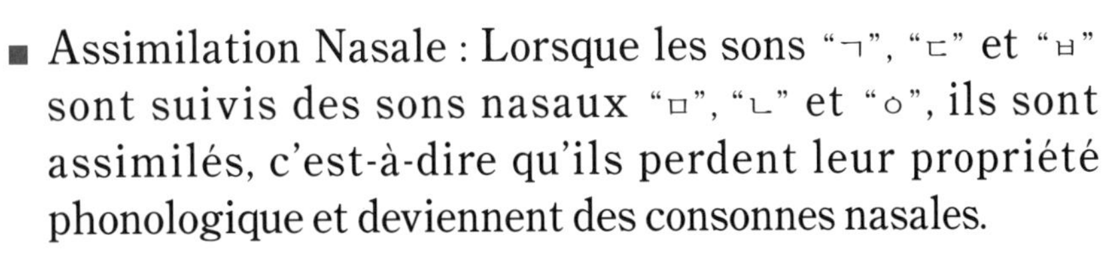

■ Assimilation Nasale : Lorsque les sons "ㄱ", "ㄷ" et "ㅂ" sont suivis des sons nasaux "ㅁ", "ㄴ" et "ㅇ", ils sont assimilés, c'est-à-dire qu'ils perdent leur propriété phonologique et deviennent des consonnes nasales.

Ex) 낱말 [난말] les mots 작년 [장년] l'année dernière

■ Palatalisation : Les consonnes finales de syllabe "ㄷ", et "ㅌ" sont prononcés comme "ㅈ" ou "ㅊ" une fois suivis de la voyelle "이".

Ex) 맏이 [마지] le fils(la fille) aîné(e) 같이 [가치] ensemble

■ Lateralisation : "ㄴ" est prononcé comme "ㄹ" avant ou après "ㄹ".

Ex) 천리 [철리] 1000 ri
달나라 [달라라] la terre de lune

■ Aspiration : Les consonnes sont aspirées après le son "ㅎ".

Ex) 좋다 [조타] être bon 많다 [만타] beaucoup

■ Contraction de voyelle : La succession des voyelles peut être contractée.

Ex)
오 [o] + 아 [a] → 와 [wa]
이 [i] + 아 [a] → 야 [ya]
이 [i] + 오 [o] → 요 [yo]
아 [a] + 이 [i] → 애 [ae]
우 [u] + 어 [eo] → 워 [wo]
이 [i] + 어 [eo] → 여 [yeo]
이 [i] + 우 [u] → 유 [yu]

SOMMAIRE

DEUXIÈME PARTIE

TROISIÈME PARTIE

❶ Voyelles (한글의 기본 모음)

voyelles	prononciation	ordre d'écrire	pratique d'écrire				
ㅏ	a 아	ㅏ (1, 2)	ㅏ ㅏ ㅏ ㅏ			사자 saja le lion	
ㅑ	ya 야	ㅑ (1, 2, 3)	ㅑ ㅑ ㅑ ㅑ			야구 yagu le base-ball	
ㅓ	eo 어	ㅓ (1, 2)	ㅓ ㅓ ㅓ ㅓ			머리 meori la tête	
ㅕ	yeo 여	ㅕ (1, 2, 3)	ㅕ ㅕ ㅕ ㅕ			별 byeol l'étoile	
ㅗ	o 오	ㅗ (1, 2)	ㅗ ㅗ ㅗ ㅗ			모자 moja le chapeau	
ㅛ	yo 요	ㅛ (1, 2, 3)	ㅛ ㅛ ㅛ ㅛ			교회 gyohwoe l'église	
ㅜ	u 우	ㅜ (1, 2)	ㅜ ㅜ ㅜ ㅜ			우유 uyu le lait	MILK

voyelles	prononciation	ordre d'écrire	pratique d'écrire			
ㅠ	yu 유	ㅠ	ㅠ ㅠ ㅠ ㅠ		귤 gyul la clémentine	
ㅡ	eu 으	ㅡ	ㅡ ㅡ ㅡ ㅡ		트럭 teureok le camion	
ㅣ	i 이	ㅣ	ㅣ ㅣ ㅣ ㅣ		기차 gicha le train	
ㅐ	ae 애	ㅐ	ㅐ ㅐ ㅐ ㅐ		개구리 gaeguri la grenouille	
ㅒ	yae 얘	ㅒ	ㅒ ㅒ ㅒ ㅒ		얘 yae cet enfant	
ㅔ	e 에	ㅔ	ㅔ ㅔ ㅔ ㅔ		게 ge le crabe	
ㅖ	ye 예	ㅖ	ㅖ ㅖ ㅖ ㅖ		계단 gyedan l'escalier	

voyelles	prononciation	ordre d'écrire	pratique d'écrire				
ㅘ	wa 와	ㅘ 1 2 3 4	ㅘ ㅘ ㅘ ㅘ			과일 gwail les fruits	
ㅙ	wae 왜	ㅙ 1 2 3 4 5	ㅙ ㅙ ㅙ ㅙ			돼지 dwaeji le cochon	
ㅚ	oe 외	ㅚ 1 2 3	ㅚ ㅚ ㅚ ㅚ			왼쪽 oenjjok le côté gauche	
ㅝ	wo 워	ㅝ 1 2 3 4	ㅝ ㅝ ㅝ ㅝ			원숭이 wonsung-i le singe	
ㅞ	we 웨	ㅞ 1 2 3 4 5	ㅞ ㅞ ㅞ ㅞ			웨이터 weiteo le garçon	
ㅟ	wi 위	ㅟ 1 2 3	ㅟ ㅟ ㅟ ㅟ			귀 gwi l'oreille	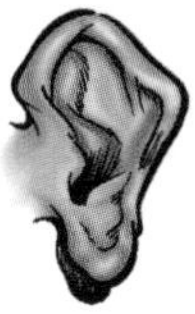
ㅢ	ui 의	ㅢ 1 2	ㅢ ㅢ ㅢ ㅢ			의사 uisa le docteur	

❷ Consonnes (한글의 기본 자음)

consonnes	prononciation	ordre d'écrire	pratique d'écrire	
ㄱ	g, k [giyeok]	1 ㄱ	ㄱ ㄱ ㄱ ㄱ	가위 gawi les ciseaux 
ㄴ	n [nieun]	1 ㄴ	ㄴ ㄴ ㄴ ㄴ	나비 nabi le papillon 
ㄷ	d, t [digeut]	1 2 ㄷ	ㄷ ㄷ ㄷ ㄷ	도로 doro la route 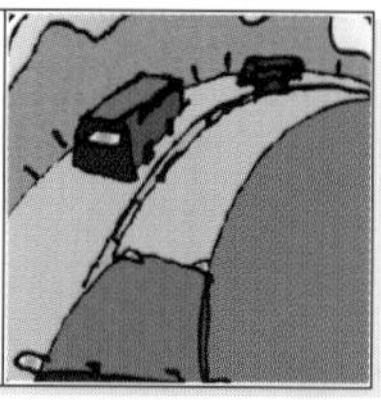
ㄹ	r, l [rieul]	1 2 3 ㄹ	ㄹ ㄹ ㄹ ㄹ	로켓 roket la fusée 
ㅁ	m [mieum]	1 2 3 ㅁ	ㅁ ㅁ ㅁ ㅁ	말 mal le cheval 
ㅂ	b, p [bieup]	1 2 3 4 ㅂ	ㅂ ㅂ ㅂ ㅂ	바지 baji le pantalon 
ㅅ	s [siot]	1 2 ㅅ	ㅅ ㅅ ㅅ ㅅ	사과 sagwa la pomme 

consonnes	prononciation	ordre d'écrire	pratique d'écrire				
ㅇ	ø, ng [ieung]	ㅇ (1)	ㅇ ㅇ ㅇ ㅇ			아기 agi le bébé	
ㅈ	j [jieut]	ㅈ (1, 2)	ㅈ ㅈ ㅈ ㅈ			장미 jangmi la rose	
ㅊ	ch [chieut]	ㅊ (1, 2, 3)	ㅊ ㅊ ㅊ ㅊ			책 chaek le livre	
ㅋ	k [kieuk]	ㅋ (1, 2)	ㅋ ㅋ ㅋ ㅋ			코 ko le nez	
ㅌ	t [tieut]	ㅌ (1, 2, 3)	ㅌ ㅌ ㅌ ㅌ			탑 tap la pagode	
ㅍ	p [pieup]	ㅍ (1, 2, 3, 4)	ㅍ ㅍ ㅍ ㅍ			팔 pal le bras	
ㅎ	h [hieut]	ㅎ (1, 2, 3)	ㅎ ㅎ ㅎ ㅎ			하늘 haneul le ciel	

consonnes	prononciation	ordre d'écrire	pratique d'écrire				
ㄲ	kk [ssanggiyeok]	ㄲ 1 2	ㄲ ㄲ	ㄲ ㄲ		꽃 kkot la fleur	
ㄸ	tt [ssangdigeut]	ㄸ 1 2 3 4	ㄸ ㄸ	ㄸ ㄸ		뚱보 ttungbo le gros	
ㅃ	pp [ssangbieup]	ㅃ 1 2 3 4	ㅃ ㅃ	ㅃ ㅃ		빵 ppang le pain	
ㅆ	ss [ssangsiot]	ㅆ 1 2 3 4	ㅆ ㅆ	ㅆ ㅆ		싸움 ssaum la querelle	
ㅉ	jj [ssangjieut]	ㅉ 1 2 1 2	ㅉ ㅉ	ㅉ ㅉ		쪽지 jjokji un morceau de papier	

③ Consonnes finales (받침)

consonnes	prononciation	ordre d'écrire	pratique d'écrire			
ㄱ	-k	ㄱ, ㅋ, ㄳ, ㄺ, ㄲ	학교 hakgyo l'école		닭 dak le poulet	
ㄴ	-n	ㄴ, ㄵ, ㄶ	전화 jeonhwa le téléphone		많다 manta beaucoup	
ㄷ	-t	ㄷ, ㅅ, ㅆ, ㅈ, ㅊ, ㅌ, ㅎ	옷 ot les vêtements		빛 bit la lumière	
ㄹ	-l	ㄹ, ㄼ, ㄾ, ㅀ, ㄺ, ㄽ	얼굴 eolgul le visage		여덟 yeodeol huit	
ㅁ	-m	ㅁ, ㄻ	담배 dambae la cigarette		젊다 jeomda être jeune	
ㅂ	-p	ㅂ, ㅍ, ㅄ, ㄼ, ㄿ	접시 jeopsi l'assiette	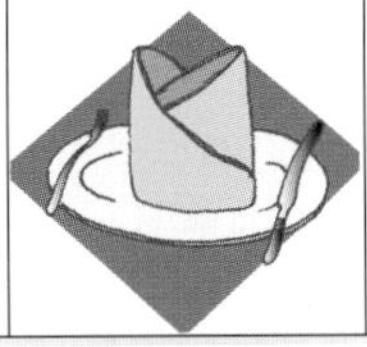	잎 ip la feuille	
ㅇ	-ng	ㅇ	종 jong la cloche		병아리 byeong-ari le poussin	

한국의 전통 문화 I

Culture traditionnelle coréenne (I)

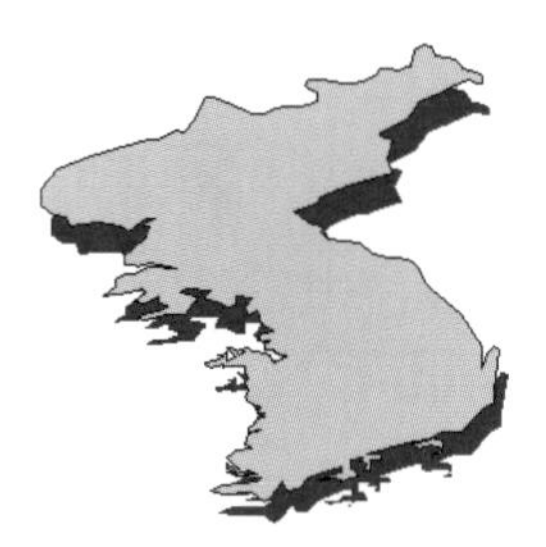

한국 지도
hanguk jido
Carte de la Corée

태극기
taegeuk-gi
Drapeau National

널뛰기
neolttwigi
la Balançoire traditionnelle

댕기머리
daenggimeori
la Coiffure tressée traditionnelle

부채춤
buchaechum
la Danse traditionnelle du ventilateur

스님
seunim
le bonze(la bonzesse)

상모돌리기
sangmodolligi
la Danse traditionnelle en utilisant un ruban fixé à un chapeau

신부
sinbu
la Robe traditionnelle de la jeune mariée

살풀이춤
salpurichum
la Danse traditionnelle soulageant un esprit

가마
gama
le Palanquin

갓
gat
les chapeaux traditionnels

곰방대
gombangdae
la Pipe

한국의 전통 문화 Ⅱ

Culture traditionnelle coréenne (II)

남대문
namdaemun
Namdaemun : Grande Porte du sud

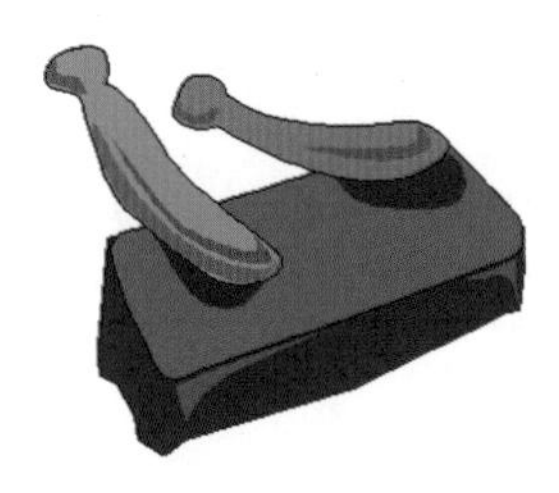

다듬이
dadeumi
l' Outil traditionnel utilisé pour redresser des vêtements

탑
tap
la Pagode

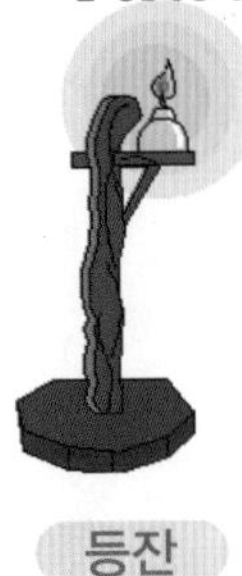

등잔
deungjan
la Lampe à huile

떡
tteok
le Gâteau de riz

맷돌
maetdol
la Rectifieuse en pierre

화로
hwaro
le Pot du feu

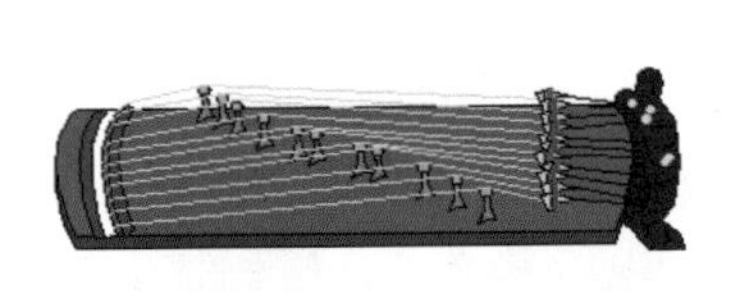

가야금
gayageum
un Instrument à 12 cordes

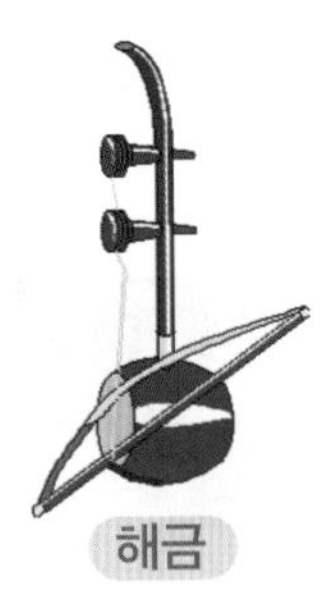

해금
haegeum
un Instrument à cordes

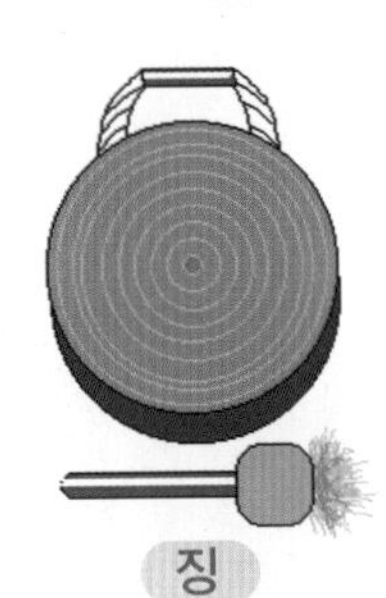

징
jing
le Gong traditionnel

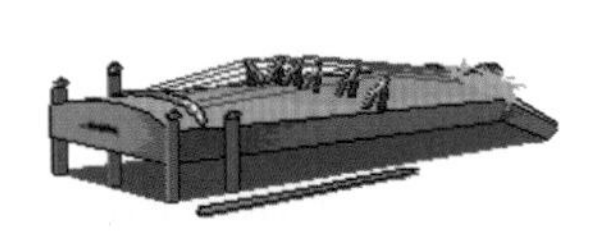

아쟁
ajaeng
un Instrument à 7 cordes

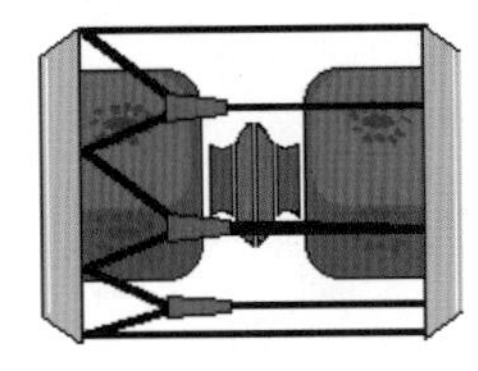

장구
jang-gu
un Tambour en forme de sablier

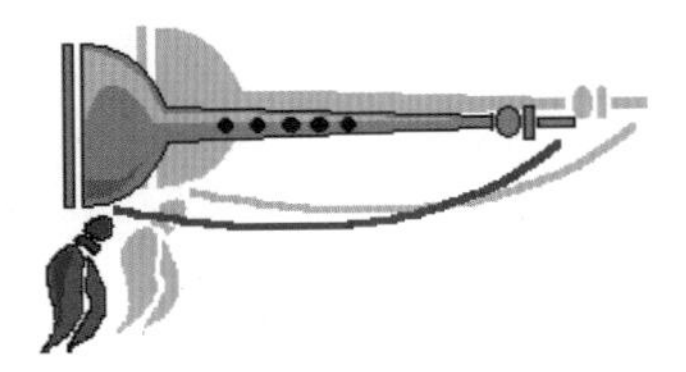

태평소
taepyeongso
un Instrument à vent

피리
piri
une flûte coréenne

■ Maisons traditionnelles couvertes en tuiles

■ Vue panoramique de Séoul

■ Taegwondo

안녕하세요? Bonjour!

Phrases Principales

1. 안녕하세요? — Bonjour!
   annyeonghaseyo
2. 당신은 어느 나라 사람입니까? — De quel pays venez-vous?
   dangsineun eoneu nara saramimnikka

Dialogues

Dialogue 1

수미: 안녕하세요? Bonjour!
annyeonghaseyo

헨리: 안녕하세요? Bonjour!
annyeonghaseyo

수미: 이름이 무엇입니까?
ireumi mueosimnikka
Comment vous appelez-vous?

헨리: 헨리입니다. Je m'appelle Henry.
henriimnida

당신의 이름은 무엇이에요? Quel est votre nom?
dangsinui ireumeun mueosieyo

수미: 제 이름은 이수미입니다. Je m'appelle Lee, Sumi.
je ireumeun isumiimnida

만나서 반갑습니다. Ravie de vous connaître.
mannaseo bangapseumnida

헨리: 만나서 반갑습니다. Ravi de vous connaître.
mannaseo bangapseumnida

Dialogue 2

수미: 당신은 어느 나라 사람입니까? De quel pays venez-vous?
dangsineun eoneu nara saramimnikka

헨리: 저는 나이지리아 사람입니다.
jeoneun naijiria saramimnida
Je suis nigérien.

수미: 당신도 나이지리아 사람입니까?
dangsindo naijiria saramimnikka
Vous êtes aussi nigérien?

존슨: 아니오, 나이지리아 사람이 아닙니다.
anio naijiria sarami animnida
Non, je ne suis pas nigérien.

저는 미얀마 사람입니다.
jeoneun miyanma saramimnida
Je viens de Myanmar.

Vocabulaire et Phrases

- 어느 quel
- 나라 le pays
- ~이다 être (venir de)
- ~이 아니다 ne pas être (ne pas venir de)
- (이름)무엇입니까? Comment vous appelez-vous?
- 저(나) Je
- 당신(너) vous (tu)
- 나이지리아 le Nigéria
- 반갑습니다 Ravi(e) de vous connaître
- 안녕하세요? Bonjour!
- 이름 le nom
- 아니오 Non
- 미얀마 Myanmar

Exercices de Vocabulaire

미국 [miguk] les États-Unis		나이지리아 [naijiria] le Nigéria	
일본 [ilbon] le Japon		미얀마 [miyanma] (le) Myanmar	
중국 [jungguk] la Chine		파키스탄 [pakistan] le Pakistan	
호주 [hoju] l'Australie		한국 [hanguk] la Corée	

Structures Grammaticales et Expressions

① L'expression '안녕하세요?' est employée pour des salutations quand vous rencontrez des personnes, ou quand vous êtes présenté à quelqu'un, elle signifie 'comment allez-vous?'.

② La particule qui indique la fonction de sujet, '~이' est employée après la consonne finale d'un nom, tandis que la particule '~가' est employée après une voyelle. Par exemple, le 'ㄱ' dans '책' et 'ㅁ' dans '이름' sont des consonnes, alors que 'ㅖ' dans '시계' et 'ㅜ' dans '나무' sont des voyelles, comme vu ci-dessous.

~이 : suffixe du sujet	**~가** : suffixe du sujet

책이 있습니다.
chaegi itseumnida
Voici un livre.

시계가 있습니다.
sigyega itseumnida
Voici une montre.

이름이 무엇입니까?
ireumi mueosimnikka
Comment vous appelez-vous?

나무가 있습니다.
namuga itseumnida
Voici un arbre.

③ La particule subjective '~은' est employée après la consonne finale dans un sujet, tandis que la particule subjective '~는' est employée après la voyelle. Par exemple, le 'ㅁ' dans '이름' est d'une consonne, alors que 'ㅓ' dans '저' et 'ㅣ' dans '미' sont des voyelles, comme vu ci-dessous.

~은 : particule subjective	**~는** : particule subjective

제 이름은 헨리입니다.
je ireumeun henriimnida
Je m'appelle Henry.

저는 나이지리아 사람입니다.
jeoneun naijiria saramimnida
Je suis nigérien.

나라 이름은 무엇입니까?
nara ireumeun mueoshimnikka
Quel est le nom du pays?

수미는 한국 사람입니다.
sumineun hanguk saramimnida
Sumi est coréenne.

④ Le verbe '~입니다(être)' permet de faire une affirmation quand il est suffixé à un nom.

~입니다 : le verbe *être*

수미입니다.
sumiimnida
Je suis Sumi.

케냐 사람입니다.
kenya saramimnida
Je suis kényan.

⑤ La phrase déclarative se transforme en phrase interrogative grâce à la terminaison (interrogative) '~까?', qui se suffixe au radical des verbes.

~입니까? : forme positive	**~아닙니까?** : forme négative

어느 나라 사람입니까?
eoneu nara saramimnikka
De quel pays êtes-vous?

이름이 무엇입니까?
ireumi mueosimnikka
Comment vous appelez-vous?

한국 사람이 아닙니까?
hanguk sarami animnikka
Vous n'êtes pas coréen?

⑥ Aux questions positives, on répond par '예' pour 'oui' et '아니오' pour 'non'; à celles négatives, par '예' pour 'non' et '아니오' pour 'si'.

예 : oui	**아니오** : non

[Question Positive]

당신은 미국 사람입니까? Êtes-vous américain?
dangshineun miguk saramimnikka

예, 미국 사람입니다. Oui, je suis américain.
ye miguk saramimnida

아니오, 미국 사람이 아닙니다. Non, je ne suis pas américain.
anio miguk sarami animnida

[Question Négative]

당신은 미국 사람이 아닙니까? N'êtes-vous pas américain?
dangsineun miguk sarami animnikka

아니오, 미국 사람입니다. Si, je suis américain.
anio miguk saramimnida

예, 미국 사람이 아닙니다. Non, je ne suis pas américain.
ye miguk sarami animnida

Exercices

1 Complétez les dialogues suivants en utilisant les mots dans les exemples.

(1) Question : 이름이 무엇이에요?
Comment vous appelez-vous?
Réponse : 제 이름은 헨리입니다.
Je m'appelle Henry

이수미 isumi
존슨 jonseun
영주 yeongju
야마다 yamada

(2) Question : 당신은 어느 나라 사람입니까?
De quel pays êtes-vous ?
Réponse : 저는 나이지리아 사람입니다.
Je suis nigérien.

미얀마 miyanma
중국 jungguk
한국 hanguk
러시아 reosia

2 Complétez les phrases suivantes en utilisant les particules appropriées.

(1) 제 이름(　) 헨리입니다.
Je m'appelle Henry.

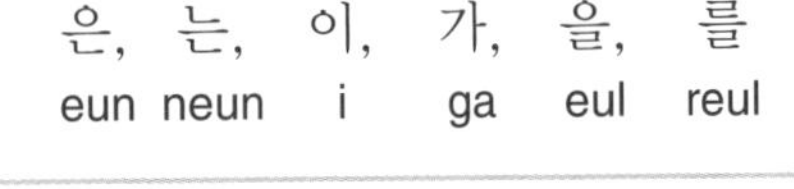

(2) 책(　) 있습니다.
Voici un livre.

(3) 이름(　) 무엇입니까?
Comment vous appelez-vous?

(4) 저(　) 나이지리아 사람입니다.
Je suis nigérien.

(5) 당신(　) 어느 나라 사람입니까?
De quel pays êtes-vous?

3 Donnez une réponse appropriée pour les questions suivantes.

Exemple
Q : 당신은 미국 사람입니까? — Êtes-vous américain?
A : 예, 저는 미국 사람입니다. — Oui, je suis américain.
아니오, 저는 미국 사람이 아닙니다. — Non, je ne suis pas américain.

(1) 당신은 나이지리아 사람입니까? (예) ______________________.
Êtes-vous nigérien?

(2) 당신은 한국 사람입니까? (아니오) ______________________.
Êtes-vous coréen?

(3) 당신은 미얀마 사람입니까? (예) ______________________.
Êtes-vous birman?

(4) 당신은 중국 사람입니까? (예 / 아니오) ______________________.
Êtes-vous chinois?

(5) 당신은 일본 사람입니까? (예 / 아니오) ______________________.
Êtes-vous japonais?

Lecture

(1) 당신의 이름은 무엇입니까?
Comment vous appelez-vous?

(2) 제 이름은 이수미입니다.
Je m'appelle Lee Sumi.

(3) 만나서 반갑습니다. 안녕히 계세요.
Ravi de vous connaître. Au revoir.

(4) 당신은 어느 나라 사람입니까?
De quel pays êtes-vous?

(5) 저는 한국 사람입니다.
Je suis coréen.

노란색 ○	jaune	검은색 ●	noir
빨간색 ●	rouge	흰 색 ○	blanc
파란색 ●	bleu	분홍색 ●	rose
보라색 ●	violet	초록색 ●	vert
회 색 ●	gris	연두색 ●	vert clair
주황색 ●	orange	하늘색 ●	bleu clair

제 2 과
Leçon 2

아버지의 직업은 무엇입니까?
Quel est le métier de votre père ?

Phrases Principales

1. 아버지의 직업은 무엇입니까? — Quel est le métier de votre père ?
   abeojiui jigeobeun mueosimnikka
2. 당신은 지금 무엇을 합니까? — Que faites-vous actuellement?
   dangsineun jigeum mueoseul hamnikka

Dialogues

Dialogue 1

수미: 당신의 가족을 소개해 주세요.
dangsinui gajogeul sogaehae juseyo
Pourriez-vous me présenter votre famille.

헨리: 아버지, 어머니, 형, 동생이 있습니다.
abeoji eomeoni hyeong dongsaeng-i itseumnida
J'ai un père, une mère, un frère plus âgé et un frère plus jeune.

수미: 아버지의 직업은 무엇입니까?
abeojiui jigeobeun mueosimnikka
Quel est le métier de votre père?

헨리: 회사원입니다. Il est employé de bureau dans une société.
hoesawonimnida

Dialogue 2

수미: 당신은 지금 무엇을 합니까?
dangsineun jigeum mueoseul hamnikka
Que faites-vous actuellement?

헨리: 저는 태평양 대학교에서 한국어를 배웁니다.
jeoneun taepyeongyang daehakgyoeseo hangugeoreul baeumnida
J'apprends le coréen à l'Université Taepyungyang.

수미: 한국어는 재미있습니까?
hangugeoneun jaemiitseumnikka
Le coréen, c'est intéressant?

헨리: 네, 어렵지만 재미있습니다.
ne eolyeopjiman jaemiitseumnida
Oui, c'est intéressant, mais difficile.

수미: 한국인 친구가 있습니까?
hangugin chin-guga itseumnikka
Avez-vous des amis coréens?

헨리: 네, 많습니다.
ne mansseumnida.
Oui, j'en ai beaucoup.

Vocabulaire et Phrases

- 당신의 votre
- 소개하다 présenter
- 아버지 le père
- 형 le frère aîné
- 직업 le métier
- 대학교 l'Université
- 배우다 apprendre
- 한국인 le coréen(la personne)
- 많습니다 beaucoup
- 회사원 l'employé de bureau dans une société
- 가족 la famille
- 주다/주세요 donner
- 어머니 la mère
- 동생 le frère plus jeune
- 지금 maintenant(actuellement)
- 한국어 le coréen(langue)
- 재미있다 être intéressant
- 친구 un ami
- 무엇을 합니까? Qu'est-ce que vous faites?

Exercices de Vocabulaire

할아버지
harabeoji
le grand-père

할머니
halmeoni
la grand-mère

아버지
abeoji
le père

어머니
eomeoni
la mère

오빠 le frère plus âgé
oppa
형 le frère plus âgé
hyeong

언니 la soeur plus âgée
eonni
누나 la soeur plus âgée
nuna

남동생 le frère plus jeune
namdongsaeng

여동생 la soeur plus jeune
yeodongsaeng

직업

의사 le docteur
uisa

간호사 l'infirmier(ère)
ganhosa

경찰관 l'agent de police
gyeongchalgwan

소방관 le pompier
sobanggwan

아나운서 le présentateur
anaunseo

가수 le chanteur
gasu

Structures Grammaticales et Expressions

1. Le complément du nom se forme avec le mot '의'. L'ordre des mots est le suivant : complément du nom (ou du pronom) + 의 + nom.

~의 : complément du nom

당신의 가족
dangsinui gajok
votre famille

나의 직업
naui jigeop
mon métier

수미의 언니
sumiui eonni
la soeur de Sumi

자연의 아름다움
jayeonui areumdaum
la beauté de la nature

② Le complément d'objet du verbe se forme avec le mot '을' ou '를'. '을' s'attache à un nom finissant par une consonne ; '를', par une voyelle.

가족을 : la famille　　**아버지를** : le père

가족을 소개해 주세요.
gajogeul sogaehae juseyo
Pourriez-vous me présenter votre famille.

아버지를 소개해 주세요.
abeojireul sogaehae juseyo
Pourriez-vous me présenter votre père.

③ '무엇' est un des pronoms intérrogatifs qui signifie 'que'. La particule du complément d'objet suit le mot interrogatif, et le '~까' est suffixé en position finale de la phrase pour faire une question.

무엇을 합니까? : Que faites-vous?

지금 무엇을 합니까?
jigeum mueoseul hamnikka
Que faites-vous actuellement?

당신은 무엇을 합니까?
dangsineun mueoseul hamnikka
Que faites-vous?

친구는 무엇을 합니까?
chin-guneun mueoseul hamnikka
Que fait-il votre ami?

④ La terminaison qui caractérise la forme interrogative est '~ㅂ니까?'. Cette terminaison se rattache au radical selon les mêmes règles que celle qui concernent la terminaison de la phrase déclarative au présent. '~ㅂ니다/ㅂ니까?' est employé quand le radical du verbe se finit par une voyelle ; '습니다/습니까?' est employé quand le radical du verbe finit par une consonne.

~ㅂ니다/습니다 : forme déclarative
~ㅂ니까?/습니까? : forme interrogative

이다.　입니다.　être
ida　imnida

입니까?
imnikka

있다.　있습니다.　exister
itda　itseumnida

있습니까?
itseumnikka

⑤ '저' est le mot honorifique qui correspond au 'je(나)'. En coréen, il y a toujours les mots honorifiques correspondants aux pronoms personnels, comme vu ci-dessous.

	singulier	honorifique	pluriel	honorifique
1ère personne	나 na	저 jeo	우리들 urideul	저희들 jeohuideul
2ème personne	너 neo	당신 dangsin	너희들 neohuideul	당신들 dangsindeul
3ème personne	그 geu	그분 geubun	그들 geudeul	그분들 geubundeul

⑥ '~지만' se rattache au verbe ou à l'adjectif de la phrase principale. Il permet de relier des proposition entre ellles. Il signifie en français 'mais'.

~지만 : mais

어렵지만 재미있습니다. C'est difficile, mais intéressant.
eoryeopjiman jaemiitseumnida

힘들지만 재미있습니다. C'est dur, mais intéressant.
himdeuljiman jaemiitseumnida

Exercices

1 Complétez les dialogues suivants en utilisant les mots dans les boîtes. (1)~(4)

(1) <u>아버지</u>의 직업은 무엇입니까? Quel est le métier de votre père?

Exemple
어머니 eomeoni 할아버지 harabeoji 할머니 halmeoni 형 hyeong 동생 dongsaeng

(2) 아버지의 직업은 <u>의사</u>입니다. Mon père est médecin.

Exemple
선생님 seonsaengnim 운전기사 unjeongisa 회사원 hoesawon
경찰관 gyeongchalgwan 소방관 sobanggwan

(3) 한국어는 재미있습니까? Le coréen est-il intéressant?

xemple

중국어 junggugeo 영어 yeong-eo 일본어 ilboneo 미얀마 어 miyanmaeo 러시아 어 reosiaeo

(4) 친구가/이 많습니다. J'ai beaucoup d'amis.

Exemple

나라 nara 형 hyeong 가족 gajok 회사 hoesa 동생 dongsaeng

2 Mettez les expressions suivantes au style formel poli comme dans l'exemple ci-dessous.

Exemple

회사원이다. → 회사원입니다. Je suis employé de bureau dans une société.

한국어를 배우다. → ______________

동생이 있다. → ______________

재미있다. → ______________

많다. → ______________

Lecture

(1) 형의 직업은 무엇이에요?
Quel est le métier de votre frère aîné?

(2) 헨리, 지금 무엇을 해요? Henry, que faites-vous actuellement?

(3) 저는 태평양 대학교에서 한국어를 배워요.
J'apprends le coréen à l'Université Taepyungyang.

(4) 저는 한국인 친구가 많습니다. J'ai beaucoup d'amis coréens.

(5) 한국어는 재미있습니다. Le coréen est intéressant.

제 3 과 Leçon 3

어디 있어요? Où est-il?

Phrases Principales

1. 화장실이 어디 있어요? — Où sont les toilettes?
   hwajangsiri eodi isseoyo
2. 약국 오른쪽에 있어요. — Elles sont à droite de la pharmacie.
   yakguk oreunjjoge isseoyo

Dialogues

Dialogue 1

헨리: 실례합니다. 화장실이 어디 있어요?
sillyehamnida hwajangsiri eodi isseoyo
Où sont les toilettes, s'il vous plaît?

남자: 저기 약국이 보여요?
jeogi yakgugi boyeoyo
Vous voyez la pharmacie là-bas?

헨리: 네, 보여요.
ne, boyeoyo
Oui, je la vois.

남자: 약국 오른쪽에 있어요.
yakguk oreunjjoge isseoyo
Elles sont à droite de la pharmacie.

헨리: 고맙습니다.
gomapseumnida
Je vous remercie.

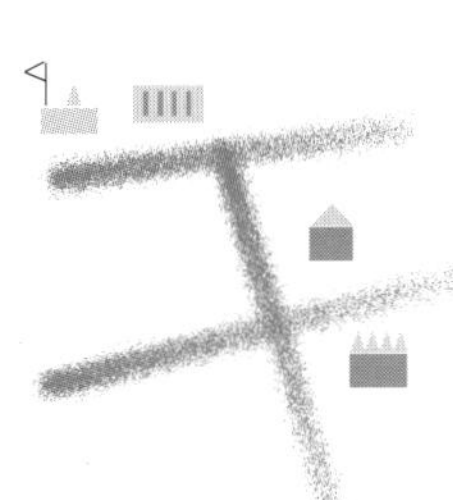

Dialogue 2

헨리: 실례합니다. 경찰서가 어디 있어요?
sillyehamnida gyeogchalseoga eodi isseoyo
Où est le poste de police, s'il vous plaît?

지갑을 잃어버렸어요.
jigabeul ireobeoryeosseoyo
J'ai perdu mon portefeuille.

남자: 저 쪽으로 한 블록 가세요.
jeo jjogeuro han beulleok gaseyo
Vous allez un bloc plus loin par là.

대한 슈퍼 옆에 있어요.
daehan syupeo yeope isseoyo
Il est à côté du supermarché Daehan.

헨리: 감사합니다.
gamsahamnida
Je vous remercie.

Vocabulaire et Phrases

• 오른쪽	à droite	• 왼쪽	à gauche	• 옆에	à côté de
• 이쪽	par ici	• 저쪽	par là	• 블록	un bloc
• 가다/가세요	aller	• 어디	où	• 경찰서	le poste de police
• 지갑	le portefeuille	• 있어요?	Est-il ~?	• 약국	la pharmacie
• 있다	être, se trouver	• 저기	là-bas	• 한(하나)	un
• 잃어버리다	perdre	• 보다	voir	• 화장실	les toilettes
• 잃어버렸어요	avoir perdu	• 실례합니다	S'il vous plaît.		
• 감사합니다	Je vous remercie.	• 고맙습니다	Je vous remercie.		
• 대한 슈퍼	supermarché Daehan				

Exercices de Vocabulaire

방향에 관한 단어 (Mots de Direction)

왼쪽 à gauche
oenjjok

오른쪽 à droite
oreunjjok

저쪽 par là
jeojjok

이쪽 par ici
ijjok

위치에 관한 단어 (Mots de Localisation)

앞 devant
ap

뒤 derrière
dwi

옆 à côté de
yeop

위 sur
wi

아래 sous
arae

안 dans
an

Structures Grammaticales et Expressions

① '~요?' permet de faire une la phrase interrogative informelle, contrairement au suffixe '~까?' qui permet de faire une phrase interrogative de type formel.

> **~ 있다/있어요?** : (Où) est ~? **보이다/보여요?** : Voyez-vous ~?

화장실이 어디 있어요?
hwajangsiri eodi isseoyo
Où sont les toilettes?

약국이 보여요?
yakgugi boyeoyo
Voyez-vous la pharmacie?

② Avec le mot '어디', on interroge quelqu'un à propos d'un lieu.

> **어디 있어요?** : Où est-il?

어디 있어요?
eodi isseoyo
Où est-il?

어디 가세요?
eodi gaseyo
Où allez-vous?

③ '~요.' permet de faire une phrase informelle, alors que '~ㅂ니다/습니다' permet de faire une phrase formelle.

> **~ 있어요.** : Il est ~.

오른쪽에 있어요.
oreunjjoge isseoyo
Il est à droite.

슈퍼 앞에 있어요.
syupeo ape isseoyo
Il est devant le supermarché.

④ Quelques expressions de politesse.

> **고맙습니다.** : Je vous remercie. **감사합니다.** : Je vous remercie.
> **실례합니다.** : S'il vous plaît./ Excusez-moi. **괜찮습니다.** : Je vous en prie.
> **좋습니다.** : Bon!/Très bien!

⑤ '어' dans '잃어' connecte deux verbes. '~었' dans '버렸어요' indique le passé.

> **~ 잃어버리다 / 잃어버렸어요.** : Perdre/Avoir perdu.

잃다+버리다 → ilta+beorida	잃어버리다 perdre ireobeorida	잃어버리+었+어요 → ireobeori+eot+eoyo	잃어버렸어요 avoir perdu ireobeoryeosseoyo
죽다+버리다 → jukda+beorida	죽어버리다 mourir jugeobeorida	죽어버리+었+어요 → jugeobeori+eot+eoyo	죽어버렸어요 être mort jugeobeoryeosseoyo

⑥ '~시' est une particule honorifique.

> **가다 / 가세요** : Aller/Je vous prie d'aller à ~.

가(다)+시+어요 → 가세요 Je vous prie de vous en aller.
gaseyo

오(다)+시+어요 → 오세요 Je vous prie de venir.
oseyo

Exercices

1 Complétez les dialogues suivants en utilisant les mots dans les exemples.

Exemple

- 강의실 la classe
- 백화점 le grand magasin
- 공중전화 le téléphone public
- 우체국 le poste
- 동사무소 la mairie
- 은행 la banque
- 모텔 le motel
- 사무실 le bureau
- 공원 le jardin
- 버스정류장 l'arrêt d'autobus
- 지하철 le métro
- 공장 l'usine
- 병원 l'hôpital
- 편의점 la bazarette

(1) ____________이/가 어디 있어요? ____________이/가 어디 있어요?
(2) ____________이/가 어디 있어요? ____________이/가 어디 있어요?
(3) ____________이/가 어디 있어요? ____________이/가 어디 있어요?
(4) ____________이/가 어디 있어요? ____________이/가 어디 있어요?

Exercices

2 Complétez les phrases suivantes avec les mots de direction.

(1) ___________에 있어요. (2) ___________에 있습니다.

(3) ___________에 있어요. (4) ___________에 있습니다.

(5) ___________에 있어요. (6) ___________에 있습니다.

3 Complétez les phrases suivantes avec les mots de localisation.

(1) ___________에 있어요. (2) ___________에 있습니다.

(3) ___________에 있어요. (4) ___________에 있습니다.

(5) ___________에 있어요. (6) ___________에 있습니다.

4 Complétez les phrases suivantes avec les mots appropriés.

가: 공원이 ______________?

나: ______________에 있어요.

가: ______________이 어디 있어요?

나: 왼쪽에 ______________.

Lecture

(1) 동사무소가 어디 있어요? Où est la mairie?

(2) 저쪽으로 가세요. Vous allez par là.

(3) 슈퍼 오른쪽에 있어요. Il est à droite du supermarché.

(4) 가방을 잃어버렸어요. J'ai perdu ma serviette.

(5) 경찰서 앞에 있어요. Il est devant le poste de police.

Les jours fériés (공휴일) [gonghyu-il]

- **설날** [seolnal] (1er jour du calendrier lunaire : jour de l'an lunaire)
  Le premier jour du premier mois lunaire est la plus grande fête coréenne, elle s'appelle 'Seol(설)' en Corée. Toute la famille s'habille avec des vêtements traditionnels 'Hanbok(한복)' et fait des offrandes aux ancêtres.

- **3·1절** [samiljeol] (1er mars : anniversaire du mouvement d'indépendance)
  Ce jour commémore la déclaration de l'indépendance qui a été proclamée le 1er mars 1919, en réaction contre l'occupation japonaise. Une lecture de la déclaration a lieu pendant une cérémonie spéciale au parc de Tapkol.

- **식목일** [sikmogil] (le 5 avril : jour de l'arbre)
  Des arbres sont plantés à travers tout le pays en tant que programme national pour le reboisement.

- **어린이날** [eorininal] (le 5 mai : fête des enfants)
  Ce jour est célébré avec divers programmes pour les enfants, auxquels des parcs, les zoos et les parcs d'attraction sont ouverts.

- **석가탄신일** [seokgatansinil] (le 8 avril du calendrier lunaire : anniversaire de Bouddha)
  Des rituels raffinés et solennels sont tenus dans beaucoup de temples bouddhistes à travers le pays et des lanternes sont montrées dans les rues et dans les cours des temples. En soirée, les gens défilent avec les lanternes.

- **광복절** [gwangbokjeol] (le 15 août : jour de la libération)
  Ce jour commémore la fin de l'occupation japonaise en 1945.

- **추석** [chuseok] (le 15 août du calendrier lunaire : fête de la moisson)
  La plus importante fête de l'année. Le 15ème jour du huitieme mois lunaire célèbre la moisson. À cette occasion, les familles se rendent sur les tombes de leurs ancêtres.

- **크리스마스** [keurismas] (le 25 décembre : Noël)

제 4 과
Leçon 4

이것은 한국어로 무엇입니까?
Comment ça se dit en coréen?

Phrases Principales

1. 이것은 무엇입니까? — Qu'est-ce que c'est?
   igeoseun mueosimnikka
2. 이것은 한국어로 무엇입니까? — Comment ça se dit en coréen?
   igeoseun hangugeoro mueosimnikka

Dialogues

Dialogue 1

헨리: 이것은 무엇입니까?
igeoseun mueosimnikka
Qu'est-ce que c'est?

수미: 그것은 운동화입니다.
geugeoseun undonghwaimnida
Ce sont des chaussures de sport.

헨리: 그러면, 저것은 무엇이에요?
geureomyeon jeogeoseun mueosieyo
Alors, qu'est-ce que c'est ça?

수미: 가방입니다. C'est une serviette.
gabang-imnida

헨리: 가방이 예쁘군요. Comme c'est joli(e).
gabang-i yeppeugunyo

Dialogue 2

헨리: 이것은 한국어로 무엇입니까?
igeoseun hangugeoro mueosimnikka
Comment ça se dit en coréen?

수미: 목걸이입니다. On dit 목걸이.
mokgeoriimnida

헨리: 이것은 한국어로 바지입니까?
igeoseun hangugeoro bajiimnikka
Est-ce 바지 en coréen?

수미: 아니오, 그것은 바지가 아닙니다.
anio geugeoseun bajiga animnida
Non, ce n'est pas 바지 en coréen.

치마입니다.
chimaimnida
C'est 치마.

Vocabulaire et Phrases

- 이것(은) ce
- 저것(은) ça
- 무엇 Qu'est-ce~
- 이다/입니다 être ...
- 이에요? est-ce ...?
- 운동화 les chaussures de sport
- 무엇입니까? Qu'est-ce que c'est? (Comment ça se dit...?)
- 가방 le sac
- 그러면 alors
- 목걸이 le collier
- 한국어로 en coréen
- 한국어 le coréen
- 예쁘다 être joli
- 아니오 non
- 아닙니다 ne ... pas
- 치마 la jupe
- 바지 le pantalon

Exercices de Vocabulaire

Les Objets Personnels

시계
sigye
la montre

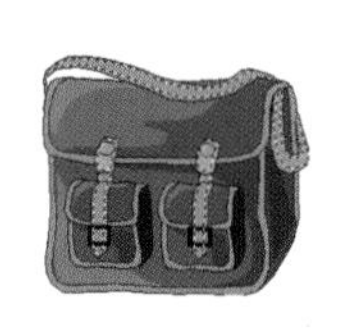

가방
gabang
la serviette

핸드백
haendbaek
le sac à main

지갑
jigap
le portefeuille

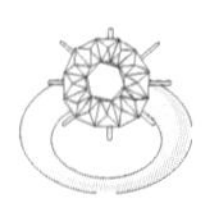

반지
banji
la bague

목걸이
mokgeori
le collier

팔찌
paljji
le bracelet

Les Chaussures

운동화
undonghwa
les chaussure de sport

구두
gudu
la chaussure

부츠
bucheu
la botte

슬리퍼
seulripeo
la pantoufle

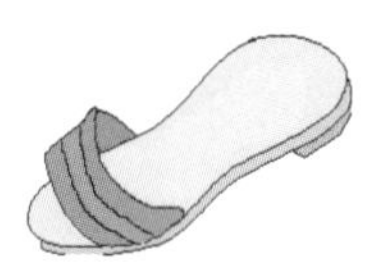

샌들
sandeul
la sandale

Les Vêtements

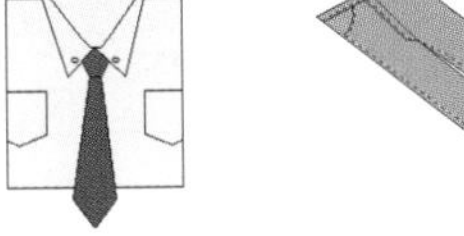

셔츠 syeocheu la chemise	바지 baji le pantalon	원피스 wonpis la robe	투피스 tupis le tailleur	양복 yangbok le costume	잠옷 jamot le pyjama
블라우스 beulraus la chemise	재킷 jaekit la veste	치마 chima la jupe	코트 kot le manteau	운동복 undongbok les vêtements de sport	

Les Vêtements et les Chaussures Traditionels Coréens

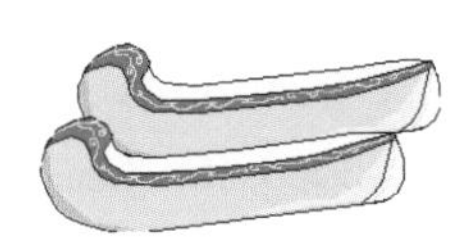
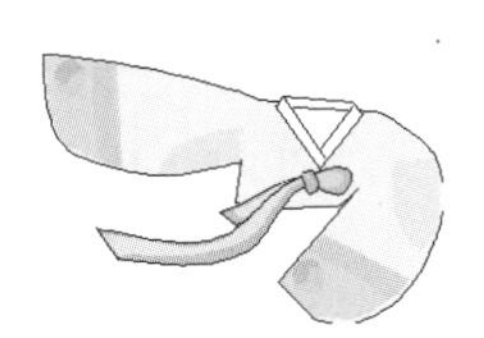

한복 hanbok la robe traditionnelle	버선 beoseon la chaussette	고무신 gomusin les chaussures en caoutchouc	고름 le cordon goreum

Structures Grammaticales et Expressions

1. Il y a trois pronoms démonstratifs : 이것 est ce qui est proche de celui qui parle; 그것 est ce qui est proche de celui qui écoute ; 저것 est ce qui est loin des deux interlocuteurs.

이것 : celui-ci	**그것** : celui-là	**저것** : celui-là

이것은 무엇입니까?
igeoseun mueosimnikka
Qu'est-ce que c'est celui-ci?

저것은 무엇입니까?
jeogeoseun mueosimnikka
Qu'est-ce que c'est celui-là?

그것은 무엇입니까? Qu'est-ce que c'est celui-là?
geugeoseun mueosimnikka

② La question avec '~이에요?' est informelle et familière ; celle avec '~입니까?' est formelle.

무엇입니까? : Qu'est-ce que c'est?	**무엇이에요?** : Qu'est-ce que c'est?

이것은 무엇입니까?
igeoseun mueosimnikka
Qu'est-ce que c'est celui-ci?

이것은 무엇이에요?
igeoseun mueosieyo
Qu'est-ce que c'est celui-ci?

③ La question avec '~까?' est formelle ; celle avec '~요?', est informelle. Notez que la terminaison polie '~요' peut être employée à la fois dans une phrase déclacative et dans une phrase interrogative.

> **이것은 바지입니까?** : Est-ce un pantalon?
> **이것은 바지예요?** : Est-ce un pantalon?

이것은 바지입니다. → 이것은 바지입니까?
igeoseun bajiimnida igeoseun bajiimnikka
C'est un 바지. Est-ce un 바지?

이것은 바지예요. → 이것은 바지예요?
igeoseun bajiiyeo igeoseun bajiyeyo
C'est un 바지. Est-ce un 바지?

④ La fin de phrase '군' indique l'opinion de celui qui parle sur un fait ou sur un événement. Quand '요' est attaché à '군', la phrase devient polie.

> **예쁘군. → 예쁘군요.** : Comme c'est joli!

예쁘다.	예쁘군.	예쁘군요.
yeppeuda	yeppeugun	yeppeugunyo
Comme c'est joli!	Comme c'est joli!	Comme c'est joli!
아름답다.	아름답군.	아름답군요.
areumdapda	areumdapgun	areumdapgunyo
Comme c'est beau!	Comme c'est beau!	Comme c'est beau!

⑤ Lorsque vous voulez dire 'non', employez '아니오'. Pour changer une phrase positive en forme négative, employez '~이/~가 아닙니다'.

> **아니오, 이것은 바지가 아닙니다.** : Non, ce n'est pas un pantalon.

아니오, 이것은 치마가 아닙니다. Non, ce n'est pas une jupe.
anio igeoseun chimaga animnida

아니오, 이것은 목걸이가 아닙니다. Non, ce n'est pas un collier.
anio igeoseun mokgeoriga animnida

Exercices

1 Répondez aux questions en utilisant les mots entre parenthèses.

Questions
Q1 : 이것은 무엇입니까? Qu'est-ce que c'est ceci?
Q2 : 저것은 무엇입니까? Qu'est-ce que c'est cela?

(1) 그것은 ______________ .(한복)
(2) 저것은 ______________ .(색동저고리)
(3) 그것은 ______________ .(치마)
(4) 저것은 ______________ .(버선)

2 Complétez les phrases suivantes comme vu dans l'exemple ci-dessous.

Exemple
이것은 시계입니다. C'est une montre.

(1) ________ 목걸이 __________.
(2) ________ 반지 __________.
(3) ________ 바지 __________.
(4) ________ 치마 __________.
(5) ________ 운동화 __________.
(6) ________ 가방 __________.

3 Complétez les phrases suivantes comme ce qui est dans l'exemple suivant.

Exemple
Stylo는 한국어로 무엇입니까? Comment dit-on "stylo" en coréen?

(1) La jupe는 한국어로 ________?
(2) Le caleçon는 한국어로 ________?
(3) Le collier는 한국어로 ________?
(4) Le sac은 한국어로 ________?

4 Mettez les phrases suivantes à la forme interrogative comme dans l'exemple ci-dessous.

Exemple

이것은 한국어로 운동화입니다. C'est 운동화 en coréen.
→ 이것은 한국어로 운동화입니까? Est-ce 운동화 en coréen?

(1) 이것은 한국어로 컴퓨터입니다. C'est 컴퓨터 en coréen.
→ ______________________

(2) 이것은 한국어로 프린터입니다. Est-ce 프린터 en coréen?
→ ______________________

(3) 이것은 한국어로 모니터입니다. Est-ce 모니터 en coréen?
→ ______________________

(4) 이것은 한국어로 키보드입니다. Est-ce 키보드 en coréen?
→ ______________________

5 Mettez les phrases suivantes à la forme négatives.

(1) 이것은 치마입니다. C'est une jupe.
→ ______________________

(2) 이것은 바지입니다. C'est un pantalon.
→ ______________________

(3) 이것은 재킷입니다. C'est une veste.
→ ______________________

(4) 이것은 양복입니다. C'est un costume.
→ ______________________

Lecture

(1) 이것은 운동화입니다. C'est une chaussure de sport.

(2) 저것은 컵이 아닙니다. Ce n'est pas un verre.

(3) 이것은 한국어로 무엇입니까? Comment ça se dit en coréen?

(4) 저것은 접시, 포크, 나이프입니다. C'est une assiette, une fourchette et un canif.

(5) 이 접시는 참 예쁘군요. Comme cette assiette est jolie!

제 5 과
Leçon 5

어느 계절을 좋아해요?
Quelle saison aimez-vous?

Phrases Principales

1. 어느 계절을 좋아해요? — Quelle saison aimez-vous?
   eoneu gyejeoreul joahaeyo
2. 오늘은 날씨가 흐리군요. — Aujourd'hui, il fait nuageux.
   oneureun nalssiga heurigunyo

Dialogues

Dialogue 1

수미: 헨리 씨는 어느 계절을 좋아해요?
henri ssineun eoneu gyejeoreul joahaeyo
Henry, quelle saison aimez-vous?

헨리: 가을을 좋아해요.
gaeureul joahaeyo
J'aime l'automne.

가을은 시원해요.
gaeureun siwonhaeyo
Il fait frais en automne.

수미: 어느 계절을 싫어해요?
eoneu gyejeoreul sireohaeyo
Quelle saison n'aimez-vous pas?

헨리: 겨울을 싫어해요.
gyeoureul sireohaeyo
Je n'aime pas l'hiver.

겨울은 추워요.
gyeoureun chuwoyo
Il fait froid en hiver.

Dialogue 2

수미: 오늘은 날씨가 흐리군요.
oneureun nalssiga heurigeunyo
Aujourd'hui, il fait nuageux.

헨리: 비가 올 것 같아요.
biga ol geot gatayo
On dirait qu'il va pleuvoir.

수미: 우산 가져왔어요?
usan gajyeowasseoyo
Avez-vous apporté un parapluie?

헨리: 네, 가져왔어요.
ne gajyeowasseoyo
Oui, j'en ai apporté un.

일기예보를 보았어요.
ilgi yeboreul boasseoyo
J'ai regardé les prévisions météorologiques.

Vocabulaire et Phrases

- 어느 quel
- 좋아해요 aimer
- 춥다 Il fait froid
- 오늘 aujourd'hui
- 비 la pluie
- 가을 l'automne
- 시원하다 Il fait frais
- 흐리다 Il fait nuageux
- 우산 le parapluie
- 계절 la saison
- 덥다 Il fait chaud
- 날씨 le temps
- 겨울 l'hiver
- 싫어해요 Je n'aime pas ~
- 보다/보았어요 voir / avoir vu
- ~(으)ㄹ 것 같아요 On dirait que...
- 일기예보 les prévisions météorologiques
- 가져오다/가져왔어요 apporter / avoir apporté

Exercices de Vocabulaire

Les Quatre Saisons

봄 le printemps
bom

여름 l'été
yeoreum

가을 l'automne
gaeul

겨울 l'hiver
gyeoul

Le Temps

해
hae
le soleil

맑음
malgeum
le temps clair

구름
gureum
le nuage

흐림
heurim
le temps nuageux

비
bi
la pluie

눈
nun
la neige

Structures Grammaticales et Expressions

① '어느' se dit quand il s'agit d'un choix.

> **어느** : quel

어느 계절을 좋아해요?
eoneu gyejeoreul joahaeyo
Quelle saison aimez-vous?

어느 모자를 좋아해요?
eoneu mojareul joahaeyo
Quel chapeau aimez-vous?

② Les particules de passé '~았/~었' se suffixent à des radicaux de verbe. '~았' est joint à un verbe dont la voyelle du radical est '아' ou '오', alors que '었' est employé après toutes les autres voyelles. '였' est analysé comme '이+었', où '이' est inséré pour faciliter la prononciation.

> **~았 / 었 / 였** : 과거시제 (particules du passé)

보았어요 avoir vu
boasseoyo

알았어요 avoir connu
arasseoyo

먹었어요 avoir mangé
meogeosseoyo

배웠어요 avoir appris
baewosseoyo

하였어요 avoir fait
hayeosseoyo

note '웠' dans '배웠어요' est analysé comme '우(voyelle du radical de verbe)+었(particule de passé)'.

③ La construction '~것 같다' indique l'opinion de celui qui parle.

> **~것 같다 / ~것 같아요** : On dirait que...

비가 올 것 같아요.
biga ol geot gatayo
On dirait qu'il va pleuvoir.

눈이 올 것 같아요.
nuni ol geot gatayo
On dirait qu'il va neiger.

존이 한 것 같아요.
joni han geot gatayo
On dirait que John l'a fait.

④ '~ㄹ/~ㄴ', précèdent le verbe, ils permettent de modifier le temps verbal. '~ㄹ' indique le futur, et '~ㄴ', le passé.

올 것 같아요 : On dirait que + futur
온 것 같아요 : On dirait que + passé

비가 올 것 같아요.
biga ol geot gatayo
On dirait qu'il va pleuvoir.

비가 온 것 같아요.
biga on geot gatayo
On dirait qu'il a plu.

⑤ Quelques expressions sur les saisons.

봄은 따뜻합니다.
bomeun ttatteuthamnida
Il fait doux au printemps.

여름은 덥습니다.
yeoreumeun deopseumnida
Il fait chaud en été.

가을은 시원합니다.
gaeureun siwonhamnida
Il fait frais en automne.

겨울은 춥습니다.
gyeoureun chupsseumnida
Il fait froid en hiver.

⑥ Quelques expressions sur le temps.

비가 옵니다.
biga omnida
Il pleut.

눈이 옵니다.
nuni omnida
Il neige.

바람이 붑니다.
barami bumnida
Il fait du vent.

천둥이 칩니다.
cheondung-i chimnida
Ça tonne.

⑦ '~씨' est employé pour appeler seulement les adultes.

수미 씨
sumi ssi
Mademoiselle Sumi

헨리 씨
henri ssi
Monsieur Henry

Exercices

1 Répondez aux questions suivantes.

Questions

Q 1 : 당신은 어느 계절을 좋아해요? Quelle saison aimez-vous?
Q 2 : 당신은 어느 계절을 싫어해요? Quelle saison n'aimez-vous pas?

저는	봄 여름 가을 겨울	을 좋아해요. J'aime ... ( ). 을 싫어해요. Je n'aime pas ... ( ).

2 Complétez les phrases suivantes comme dans l'exemple.

Exemple

Q : 오늘 날씨가 어때요?(춥다) Quel temps fait-il aujourd'hui?
Q : 오늘 날씨는 추워요. Il fait froid.

(1) 흐리다 nuageux
(2) 덥다 chaud
(3) 비가 오다 pleuvoir
(4) 맑다 beau
(5) 눈이 오다 neiger

3 Complétez les phrases suivantes comme dans l'exemple.

Exemple

Q : 우산을 가져왔어요? (우산) Avez-vous apporté le parapluie?

(1) 책 le livre
(2) 가방 la serviette
(3) 펜 le stylo
(4) 시계 la montre
(5) 휴지 le papier serviette

4 Mettez au passé composé.

(1) 일기 예보를 보다. lire la prévision météo

(2) 밥을 먹다. faire un repas

(3) 학교에 가다. aller à l'école

(4) 가을을 좋아하다. aimer l'automne

(5) 친구를 만나다. voir un ami

Lecture

(1) 어느 계절을 좋아해요? Quelle saison aimez-vous?

(2) 오늘은 날씨가 흐리군요. Il fait nuageux.

(3) 여름은 너무 더워요. Il fait chaud en été.

(4) 우산을 가져왔어요. J'ai apporté un parapluie.

(5) 저는 겨울을 싫어해요. Je n'aime pas l'hiver.

제 6 과
Leçon 6

생일이 언제예요?
C'est quand, votre anniversaire?

Phrases Principales

1. 오늘은 금요일이에요. — Aujourd'hui, on est vendredi.
   oneureun geumyoirieyo
2. 제 생일은 5월 23일이에요. — Mon anniversaire, c'est le 23 mai.
   je saeng-ireun owol isipsamirieyo

Dialogues

Dialogue 1

헨리: 어제는 무엇을 했어요?
eojeneun mueoseul haesseoyo
Qu'est-ce que vous avez fait hier?

수미: 어제는 도서관에서 공부를 했어요.
eojeneun doseogwaneseo gongbureul haesseoyo
Hier, j'ai travaillé à la bibliothèque.

헨리: 오늘은 무슨 요일이에요?
oneureun museun yoirieyo
Quel jour sommes-nous aujourd'hui?

수미: 오늘은 금요일이에요.
oneureun geumyoirieyo
Aujourd'hui, nous sommes vendredi.

헨리: 내일은 학교에 갈 거예요?
naeireun hakgyoe gal geoyeyo
Vous allez à l'école demain?

수미: 아니오, 내일은 집에 있을 거예요.
anio naeireun jibe isseul geoyeyo
Non, je vais rester à la maison demain.

5월

일 (SUN)	월 (MON)	화 (TUE)	수 (WED)	목 (THU)	금 (FRI)	토 (SAT)
	1	2	3	4	5	6
7	8	9	10	11	12	13
14	15	16	17	18	19	20
21	22	23	24	25	26	27
28	29	30	31			

Dialogue 2

수미: 수미 씨, 생일이 언제예요?
sumi ssi saeng-iri eonjeyeyo
Mademoiselle Sumi, c'est quand, votre anniversaire?

수미: 제 생일은 5월 23일이에요.
je saeng-ireun owol isipsamirieyo
Mon anniversaire, c'est le 23 mai.

헨리: 모레군요. 우리 생일 파티해요.
moregunnyo. uri saeng-il patihaeyo
C'est après-demain! Faisons une fête (d'anniversaire).

수미: 모레 저녁 7시에 우리 집에 오세요.
more jeonyeok ilgopsie uri jibe oseyo
Venez chez moi à 19 heures, après-demain.

Vocabulaire et Phrases

- 어제 hier
- 무슨, 무엇 quel
- 언제 quand
- 일, 요일 jour
- 내일 demain
- ~에서 à
- 집 la maison
- 오다/오세요 venir/venez
- 생일 le jour d'anniversaire(naissance)
- 우리 ~해요 faisons ...
- 모레 après-demain
- 생일 파티 la fête d'anniversaire
- 7시 7 heures
- 도서관 la bibliothèque
- 갈 거예요? Allez-vous à ...?
- 오늘 aujourd'hui
- 금요일 vendredi
- 아니오 non
- ~에 à~
- 23일 le 23
- 저녁 le soir
- 우리 nous
- 학교 l'école
- 공부 le travail
- 5월 mai

Exercices de Vocabulaire

La Date et le Jour

일요일 iryoil	월요일 woryoil	화요일 hwayoil	수요일 suyoil	목요일 mogyoil	금요일 geumyoil	토요일 toyoil
Dimanche	Lundi	Mardi	Mercredi	Jeudi	Vendredi	Samedi

그저께(geujeokke)	avant-hier
어제(eoje)	hier
오늘(oneul)	aujourd'hui
내일(naeil)	demain
모레(more)	après-demain

Les Mois de L'année

1월	Janvier	일월(irwol)	7월	Juillet	칠월(chirwol)
2월	Février	이월(iwol)	8월	Août	팔월(parwol)
3월	Mars	삼월(samwol)	9월	Septembre	구월(guwol)
4월	Avril	사월(sawol)	10월	Octobre	시월(siwol)
5월	Mai	오월(owol)	11월	Novembre	십일월(sibirwol)
6월	Juin	유월(yuwol)	12월	Décembre	십이월(sibiwol)

Structures Grammaticales et Expressions

1. Dérivé du mot '무엇', '무슨' signifie "quel" en français.

무슨 요일이에요? : Quel jour sommes-nous?

이것은 무엇입니까?
igeoseun mueosimnikka
Qu'est-ce que c'est?

오늘은 무슨 요일이에요?
oneureun museun yoirieyo
Quel jour somme-nous aujourd'hui?

2. Dans les phrases informelles polies, '~이에요' est employé quand un mot finit par une consonne, alors que '예요' est employe quand un mot finit par une voyelle. Les deux terminaisons sont employées à la fois pour exprimer un état et pour poser une question. '예요' est une forme contractée de '~이에요'.

언제예요? : C'est quand? **23일이에요.** : C'est le 23.

생일이 언제예요?
saeng-iri eonjeyeyo
C'est quand, votre anniversaire?

제 생일은 5월 23일이에요.
je saeng-ireun owol isipsamirieyo
Mon anniversaire, c'est le 23 mai.

3. Suffixé à un radical de verbe, '거/것' est la particule de futur. '거' est employé avec la fin de phrase '~예요', et '것' est employé avec celle de '~입니다'. Ces variations sont liées à la prononciation.

학교에 갈 거예요. : Je vais à l'école.

집에 갈 거예요. (갈 것입니다.)
jibe gal geoyeyo
Je vais chez moi.

집에 있을 거예요. (있을 것입니다.)
jibe isseul geoyeyo
Je resterai chez moi.

공부를 할 거예요. (할 것입니다.)
gongbureul hal geoyeyo
Je vais travailler.

저녁을 먹을 거예요. (먹을 것입니다.)
jeonyeogeul meogeul geoyeyo
Je vais dîner.

④ Le pronom interrogatif, '언제' est employé pour demander une date, il signifie 'quand'.

생일은 언제예요? : C'est quand, votre anniversaire?

파티는 언제예요?
patineun eonjeyeyo
C'est quand, la fête (d'anniversaire)?

방학은 언제예요?
banghageun eonjeyeyo
C'est à partir de quand, vos vacances?

⑤ Attaché après un nom, la proposition '에' est employée pour indiquer un endroit, un moment et une direction. En revanche, '에서' est seulement utilisé pour indiquer un endroit.

도서관에서 à/dans la bibliothèque
doseogwaneseo

학교에 à l'école
hakgyoe

집에 chez soi
jibe

7시에 à 7 heures
ilgopsie

⑥ La construction '우리 ~ radical du verbe + 요' est employée pour suggérer une idée, elle correspond à l'utilisation de l'impératif à la première personne du pluriel (nous).

우리 ~ radical du verbe + **요** : Allons~

우리 생일 파티해요.
uri saeng-il patihaeyo
Faisons une fête d'anniversaire.

우리 학교에 가요.
uri hakgyoe gayo
Allons à l'école.

우리 집에 가요.
uri jibe gayo
Allons à la maison.

우리 텔레비전 봐요.
uri tellebijyeon bwayo
Regardons l'émission télévisée.

1 Faites une question et une réponse en utilisant chaque mot comme dans les exemples. (1)~(2)

(1)

Exemple

Q : 오늘은 무슨 요일입니까? (화요일) — Quel jour sommes-nous?
A : 오늘은 화요일입니다. — Nous sommes mardi.

① 월요일 lundi
② 수요일 mercredi
③ 일요일 dimanche
④ 토요일 samedi
⑤ 금요일 vendredi

(2)

Exemple

Q : 내일은 어디에 갈 거예요? (학교) — Où irez-vous demain?
A : 학교에 갈 거예요. — J'irai à l'école.

① 친구 집 chez un ami
② 도서관 à la bibliothèque
③ 회사 au bureau
④ 교회 à l'église
⑤ 시장 au marché

2 Complétez le dialogue suivant en utilisant les dates proposées ci-dessous.

Exemple

Q : 생일은 언제예요? — C'est quand, votre anniversaire?
A : 제 생일은 ( )이에요. — Mon anniversaire, c'est ...

(1) 5월 23일
(2) 1월 12일
(3) 2월 5일
(4) 12월 31일
(5) 3월 7일
(6) 10월 17일
(7) 8월 28일

3 Mettez les phrases suivantes à la forme négative.

(1) 학교에 가다 aller à l'école
(2) 친구를 만나다 voir un ami

(3) 주스를 마시다 boire le jus

(4) 한국어를 배우다 apprendre le coréen

4 Faites des suggestions en utilisant la structure suivante.

Exemple
우리 ~ le radical de verbe + 요

(1) 생일 파티하다 fêter l'anniversaire

(2) 공부하다 étudier

(3) 학교에 가다 aller à l'école

(4) 도서관에 가다 aller à la bibliothèque

(5) 집에 있다 rester chez soi

Lecture

(1) 어제는 집에서 공부를 했어요.
Hier, j'ai travaillé chez moi.

(2) 오늘은 수요일입니다.
Nous sommes mercredi.

(3) 주말에는 무엇을 합니까?
Que faites-vous de vos week-ends?

(4) 생일이 내일이에요.
Mon anniversaire, c'est demain.

(5) 모레 아침 10시에 우리 집에 오세요.
Venez venir chez moi après-demain à 10 heures.

제 7 과
Leçon 7

몇 개 있어요? Combien en avez-vous?

Phrases Principales

1. 펜이 몇 개 있어요? — Combien de stylos avez-vous?
   peni myeot gae isseoyo
2. 친구가 몇 명 있어요? — Combien d'amis avez-vous?
   chin-guga myeot myeong isseoyo

Dialogues

Dialogue 1

인 수: 펜을 안 가져왔어요.
peneul an gajyeowasseoyo
Je n'ai pas apporté de stylo.

펜이 몇 개 있어요?
peni myeot gae isseoyo
Combien de stylos avez-vous?

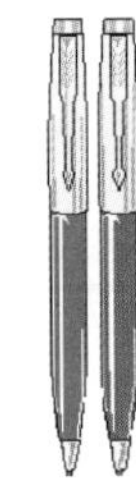

요시코: 두 자루 있어요. 빌려 드릴까요?
du jaru isseoyo billyeo deurilkkayo
J'en ai deux. Voulez-vous que je vous en prête un?

인 수: 한 개 빌려 주세요.
han gae billyeo juseyo
Oui, s'il vous plaît.

요시코: 여기 있어요. 파란색이에요. Tenez. C'est un stylo bleu.
yeogi isseoyo paransaekieyo

인 수: 고마워요. Merci.
gomawoyo

Dialogue 2

수 미: 요시코 씨, 한국인 친구가 몇 명 있어요?
yosiko ssi han-gugin chin-guga myeot myeong isseoyo
Yosiko, combien d'amis coréens avez-vous?

요시코: 다섯 명 있어요.
daseot myeong isseoyo
J'en ai cinq.

수　미: 남자 친구도 있어요?
namja chin-gudo isseoyo
Avez-vous des amis (masculins)?

요시코: 네, 남자 친구도 두 명 있어요.
ne namja chin-gudo du myeong isseoyo
Oui, j'en ai deux (masculins).

여자 친구는 세 명이에요.
yeoja chin-guneun se myeong-ieyo
Et j'ai trois amies (féminines).

수　미: 친구가 많아서 좋겠어요.
chin-guga manaseo jokesseoyo
C'est très bien que vous ayez beaucoup d'amis.

Vocabulaire et Phrases

- 몇 개 — combien de(chose)
- 안 — ne ... pas
- 좋겠어요 — ce serait bien que
- 여기 — ici
- 파란색 — bleu
- 한국인 — un coréen
- 친구 — un ami
- 여자 친구 — une amie féminine (une copine)
- 많다 — beaucoup de
- 두 명 — deux personnes
- 펜 — un stylo
- 가져오다 — apporter
- 빌려 주세요 — prêtez-moi (chose)
- 여기 있어요 — (le/la) voilà
- 고마워요 — merci
- 몇 명 — combien de (personne)
- 남자 친구 — ami masculin (un copin)
- 다섯 명 — cinq personnes
- 빌려 주다/빌려 드리다 — prêter

Exercices de Vocabulaire

Les chiffres: La deuxième colonne comprend les chiffres sino-coréens et la troisième, ceux qui sont purement coréens.

1	일 il	하나(한) hana(han)	8	팔 pal	여덟 yeodeol
2	이 i	둘 (두) dul(du)	9	구 gu	아홉 ahop
3	삼 sam	셋 (세) set(se)	10	십 sip	열 yeol
4	사 sa	넷 (네) net(ne)	100	백 baek	백 baek
5	오 o	다섯 daseot	1,000	천 cheon	천 cheon
6	육 yuk	여섯 yeoseot	10,000	만 man	만 man
7	칠 chil	일곱 ilgop			

Structures Grammaticales et Expressions

1 Lorsque vous comptez des choses, employez le classificateur numeral '개' après '몇'.

> **몇 개 있어요?** : Combien (en) avez-vous?

펜이 몇 개 있어요?
peni myeot gae isseoyo
Combien de stylos avez-vous?

연필이 몇 개 있어요?
yeonpiri myeot gae isseoyo
Combien de crayons avez-vous?

2 '~(으)ㄹ 까요?' est une façon de poser des questions, dont la structure correspondante en francais est 'Voulez-vous...?' /interrogation.

> **~ㄹ까요?** : Voulez-vous ...? / Interrogation

펜을 빌려 드릴까요?
peneul billyeo deurilkkayo
Voulez-vous que je vous prête un stylo?

학교에 갈까요?
hakgyoe galkkayo
Allons-nous à l'école?

3 Pour compter des êtres-humains, utilisez le classificateur '명' après '몇'.

> **몇 명 있어요?** : Combien (d'amis) avez-vous?

친구가 몇 명 있어요?
chin-guga myeot myeong isseoyo
Combien d'amis avez-vous?

학생이 몇 명 있어요?
haksaeng-i myeot myeong isseoyo
Combien d'élèves avez-vous?

4 Quand vous avez besoin d'emprunter quelque chose à quelqu'un, utilisez '빌려 주세요'.

> **빌려 주세요.** : Prêtez-moi (quelque chose).

펜 빌려 주세요.
pen billyeo juseyo
Prêtez-moi un stylo, s'il vous plaît.

연필 빌려 주세요.
yeonpil billyeo juseyo
Prêtez-moi un crayon, s'il vous plaît.

돈 빌려 주세요.
don billyeo juseyo
Prêtez-moi de l'argent, s'il vous plaît.

책 빌려 주세요.
chaek billyeo juseyo
Prêtez-moi un livre, s'il vous plaît.

5 '안' est employé pour la négation d'un verbe et de l'adjectif qui le suit.

안 + verbe : ne + verbe + pas
안 + adjectif : n'être pas + adjectif

안 가져왔어요.
an gajyeowasseoyo
Je ne l'ai pas apporté.

안 먹었어요.
an meogeosseoyo
Je n'ai pas mangé.

안 예뻐요.
an yeppeoyo
(Elle) n'est pas jolie.

6 Le connecteur de cause '~아서/~어서' qui suit un verbe ou un adjectif, signifie "parce que" ou "car". '~서' peut être supprimé.

많 + **아(서)** : parce que vous en avez beaucoup...

친구가 많아(서) 좋겠어요.
chin-guga mana(seo) jokesseoyo
C'est bien que vous ayez beaucoup d'amis.

펜을 빌려서 좋겠어요.
peneul billyeoseo jokesseoyo
C'est bien que vous ayez prêté un stylo.

7 Suffixé au verbe ou à l'adjectif, le marqueur temporel '겠' indique le futur.

좋겠어요. : Ce sera bien.

좋겠어요.
jokesseoyo
Ce sera bien.

가겠어요.
gagesseoyo
J'irai.

공부하겠어요.
gongbuhagesseoyo
J'étudierai.

1 Remplacez les mots soulignés en utilisant chaque mot dans les exemples.

(1) Question : 펜이 몇 개 있어요? Combien de stylos avez-vous?

Réponse : 펜이 한 개 있어요. Jien ai un.

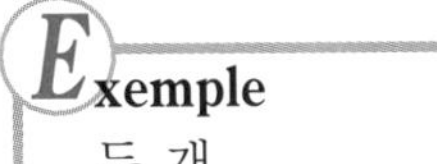

Exemple

두 개　　세 개　　열 개　　다섯 개　　여덟 개

(2) Question : 친구가 몇 명 있어요? Combien d'amis avez-vous?

Réponse : 저는 친구가 네 명 있어요. Jien ai quatre.

Exemple

다섯 명　　여섯 명　　일곱 명　　여덟 명　　한 명

(3) 저에게 책을(를) 빌려 주세요. Prêtez-moi un livre, s'il vous plait.

Exemple

펜　　시계　　우산　　지우개

2 Mettez les phrases suivantes à la forme interrogative.

(1) 친구가 있다. J'ai des amis.

→ ______________________

(2) 봄을 좋아하다. J'aime le printemps.

→ ______________________

(3) 비가 오다. Il pleut.

→ ______________________

(4) 날씨가 흐리다. Il fait mauvais.

→ ______________________

(5) 우산을 가져오다. J'ai apporté une parapluie.

→ ______________________

3 Avec '안', mettez les phrases suivantes à la forme négative.

(1) 가져왔어요? Vous l'avez apporté?

(2) 점심을 먹었어요. J'ai déjeuné.

(3) 책을 샀어요. J'ai acheté un livre.

(4) 갈 거예요? Vous y allez?

(5) 시원해요. Il fait frais.

Lecture

(1) 펜 한 개 빌려 주세요.
Prêtez-moi un stylo.

(2) 파란색 펜이 몇 개 있어요?
Combien de stylos bleu avez-vous?

(3) 한국인 친구가 몇 명 있어요?
Combien d'amis coréens avez-vous?

(4) 남자 친구가 다섯 명 있어요.
J'ai cinq amis.

(5) 공책을 안 가져왔어요.
Je n'ai pas apporté de cahier.

제 8 과
Leçon 8

얼마입니까? Combien ça coûte?

Phrases Principales

1. 이것은 얼마입니까? Combien ça coûte?
   igeoseun eolmaimnikka
2. 모두 이천팔백 원입니다. Ça vous fait un total de 2,800 wons.
   modu icheonpalbaek wonimnida

Dialogues

Dialogue 1

주 인: 어서 오세요. Bienvenue.
eoseo oseyo

요시코: 바나나는 백 그램에 얼마입니까?
bananaineun baek graeme eolmaimnikka
Combien coûtent les bananes pour 100g?

주 인: 이백이십 원입니다. C'est 220 wons.
ibaek-isip wonimnida

요시코: 이 킬로그램 주세요. Donnez-m'en deux kg, s'il vous plaît.
ikillograem juseyo.

주 인: 여기 있습니다. Voilà.
yeogi itseumnida

모두 사천사백 원입니다. Ça vous fait un total de 4,400 wons.
modu sacheonsabaek wonimnida

Dialogue 2

요시코: 오이는 얼마입니까? Combien coûtent les concombres?
oineun eolmaimnikka

주 인: 세 개에 천백 원입니다. 1,100 wons les trois.
se gae-e cheonbaek wonimnida

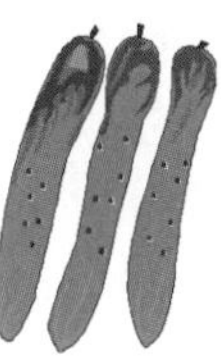

요시코: 토마토는 얼마입니까?
tomatoneun eolmaimnikka
Les tomates, elles coûtent combien?

주　인: 백 그램에 이백육십 원입니다.
baek graeme ibaek-yuksip wonimnida
260 wons les 100g.

요시코: 오이 세 개와 토마토 1킬로그램 주세요.
oi se gaewa tomato ilkillograem juseyo
Donnez-moi trois concombres et 1kg de tomates, s'il vous plaît.

주　인: 모두 삼천칠백 원입니다.
modu samcheonchilbaek wonimnida
Ça vous fait un total de 3,700 wons.

Vocabulaire et Phrases

- 어서 오세요 bienvenue
- 얼마입니까? combien ça coûte?
- 이백이십 원 220 wons
- 여기 있습니다 voilà
- 사천사백 원 4,400 wons
- 세 개에 pour les trois
- 토마토 une tomate
- ～와/과 et
- 바나나 une banane
- 백 그램에 pour 100g
- 이 킬로그램 2kg
- 모두 un total
- 오이 un concombre
- 천백 원 1,100wons
- 이백육십 원 260 wons
- 삼천칠백 원 3,700 wons

Exercices de Vocabulaire

Fruits

사과
sagwa
une pomme

바나나
banana
une banane

파인애플
painaepeul
un ananas

배
bae
une poire

포도
podo
des raisins

수박
subak
une pastèque

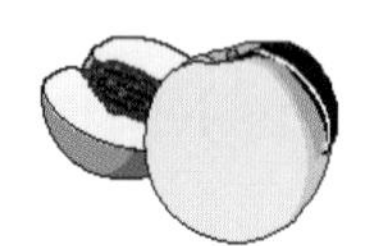
복숭아
boksunga
une clémantine

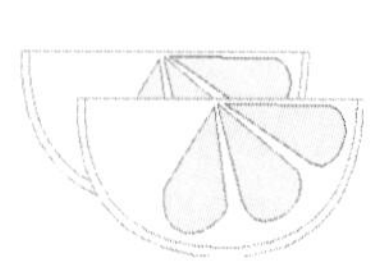
오렌지
orenji
une orange

감
gam
un kaki

레몬
remon
un citron

Légumes

오이 un concombre
oi

호박 une citrouille
hobak

무 un navet
mu

시금치 des épinards
sigeumchi

콩 des petis-pois
kong

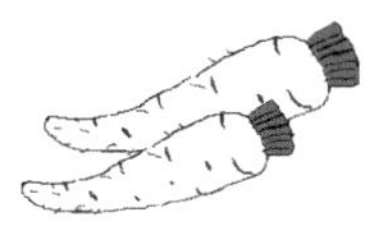
당근 une carotte
danggeun

배추 un chou chinois
baechu

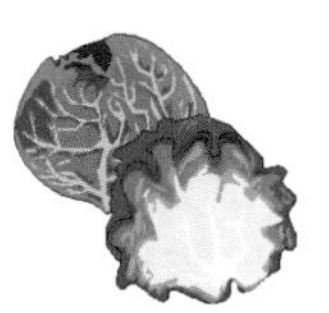
양배추 un chou
yangbaechu

고추 un piment
gochu

파 un poireau
pa

양파 un oignon
yangpa

마늘 de l'ail
maneul

Dénomination de L'argent

십 원	10(dix) wons [sip won]	천 원	1,000(mille) [cheon won]
오십 원	50(inquante) [osip won]	오천 원	5,000(cing mille) [ocheon won]
백 원	100(cent) [baek won]	만 원	10,000(dix mille) [man won]
오백 원	500(cing cents) [obaek won]		

Structures Grammaticales et Expressions

1 Pour demander le prix d'un produit, utilisez '얼마입니까?'.

얼마입니까? : Combien ça coûte?

바나나 100g에 얼마입니까?
banana baekgeuraeme eolmaimnikka
Combien coûtent 100g de bananes?

토마토 100g에 얼마입니까?
tomato baekgeuraeme eolmaimnikka
Combien coûtent 100g de tomates?

② Quand vous achetez quelque chose, utilisez '주세요'. En général, '~을/를'. signifie 'donnez-moi quelque chose'. Cette expression est employée pour acheter, commander quelque chose (L9) et aussi pour solliciter une faveur, comme on le verra dans les chapitres suivants.

~ 주세요. : Donnez-moi ~, s'il vous plaît.

사과를 세 개 주세요.
sagwareul se gae juseyo
Donnez-moi trois pommes, s'il vous plaît.
바나나를 주세요.
bananareul juseyo
Donnez-moi des bananes, s'il vous plaît.

③ Utilisez '모두'. pour dire le total d'une quantité ou d'un nombre.

모두 삼천칠백 원입니다. : Ça vous fait un total de 3,700 wons.

모두 사천사백 원입니다.
modu sacheonsabaek wonimnida
Ça vous fait un total de 4,400 wons.

모두 천오십 원입니다.
modu cheon-osip wonimnida
Ça vous fait un total de 1,050 wons.

④ '~에' dans '백 그램에' correspond à la préposition 'pour' en français.

100g에 220원 : 220 wons les 100g.
1kg에 2,600원 : 2,600 wons le kilo.

100g에 150원입니다.
baekgeuraeme baek-osip wonimnida
C'est 150 wons les 100g.

1kg에 1,500원입니다.
ilkillograeme cheon-obaek wonimnida
C'est 1,500 wons le kilo.

⑤ '~와/과', est une conjonction de coordination qui permet de relier des mots, elle permet de relier seulement les noms entre eux ou également d'autres mots, comme 'et' en français. '~와', est postposé à un nom, qui finit par une voyelle et '~과', suit un nom qui finit par une consonne.

오이 세 개와 토마토 두 개 : trois concombres et deux tomates

바나나와 사과
bananawa sagwa
des bananes et des pommes

감자 1kg과 당근 600g
gamja ilkillograemgwa danggeun yukbaekgraem
1kg de pommes de terre et 600g de carottes

Exercices

1 Complétez les phrases suivantes en utilisant les mots dans les encadrés (1)~(2).

(1) (   )은(는) 100g에 얼마입니까?

Combien coûtent 100g de (   )?

Exemple

바나나　　오렌지　　딸기　　자두　　앵두　　사과

(2) (   )은(는) 얼마입니까?

Combien coûtent les (   )?

Exemple

토마토　　당근　　오이　　고추　　마늘

2 Réutilisez les phrases ci-dessous avec les mots suivants.

100g 두 개 세 개 1kg 한 근	에	이천 원 이천오백 원 천 원 오천 원 삼천오백 원	입니다.

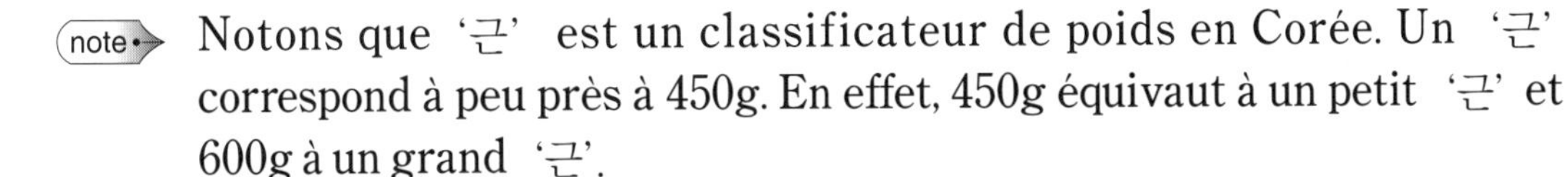
note Notons que '근' est un classificateur de poids en Corée. Un '근' correspond à peu près à 450g. En effet, 450g équivaut à un petit '근' et 600g à un grand '근'.

3 Lisez les prix suivants en coréen.

(1) 230원　　(2) 12,300원　　(3) 7,560원

(4) 354,000원　　(5) 90원

4 Trouvez l'expression entre parenthèses qui permet de dire le total d'un prix.

(1) (   ) 5,600원입니다.　　(2) (   ) 7,200원입니다.

(3) (   ) 1,800원입니다.

Lecture

(1) 사과는 얼마예요?
Combien coûtent les pommes?

(2) 감은 얼마예요?
Combien coûtent les kakis?

(3) 사과 한 봉지에 삼천육백 원입니다.
C'est 3,600 wons pour le sac de pommes.

(4) 오렌지 한 개에 오백 원이에요.
C'est 500 wons l'orange.

(5) 토마토 2kg 주세요.
Donnez-moi 2kg de tomate, s'il vous plaît.

제 9 과
Leçon 9

비빔밥 한 그릇 주세요.
Un Bibimbap, s'il vous plaît.

Phrases Principales

1. 무엇을 드시겠습니까? mueoseul deusigesseumnikka — Qu'est-ce que vous voulez prendre?
2. 비빔밥 한 그릇 주세요. bibimbap han geureut juseyo — Je voudrais un Bibimbap.

Dialogues

Dialogue 1

종업원: 무엇을 드시겠습니까? Qu'est-ce que vous voulez prendre?
mueoseul deusigesseumnikka

메뉴에 불고기, 비빔밥, 설렁탕이 있어요.
menyue bulgogi bibimbap seolleongtang-i isseoyo
Il y a du Bulgogi, du Bibimbap et du Seolleongtang au menu.

인　수: 저는 비빔밥 한 그릇 주세요.
jeoneun bibimbap han geureut juseyo
Moi, je prends un Bibimbap, s'il vous plaît.

요시코: 저는 설렁탕을 먹을래요. Et moi, je prends un Seolleongtang.
jeoneun seolleongtang-eul meogeullaeyo

종업원: 잠시만 기다리세요.
jamsiman gidariseyo
Veuillez patienter un moment, s'il vous plaît.

여기 설렁탕 한 그릇, 비빔밥 한 그릇입니다.
yeogi seolleongtang han geureut bibimbap han geureut-imnida
Voilà un seolleongtang et un Bibimbap.

요시코: (다 먹고 난 후) 설렁탕이 맛있어요.
seolleongtang-i masisseoyo
Le Seolleongtang est délicieux.

Dialogue 2

요시코: 이 자동판매기는 어떻게 사용해요?
i jadongpanmaegineun eotteoke sayonghaeyo
Comment on utilise ce distributeur automatique?

인　수: 100원짜리 동전을 세 개 넣으세요.
baekwonjjari dongjeoneul se gae neoeuseyo
Mettez trois pièces de 100 wons.

그리고 버튼을 누르세요. Et, appuyez sur un bouton.
geurigo beoteuneul nureuseyo

요시코: 어느 것을 누를까요?
eoneu geoseul nureulkkayo
Quel bouton je choisis?

밀크 커피, 설탕 커피, 블랙 커피가 있어요.
milk keopi seoltang keopi beullaek keopiga isseoyo
Il y a du café au lait, du café sucré et du café noir.

인　수: 저는 밀크 커피 마실게요. Moi, je vais prendre un café au lait.
jeoneun milk keopi masilgeyo

Vocabulaire et Phrases

- ~드시겠습니까? voulez-vous prendre ~?
- 비빔밥 Bibimbap
- 불고기 Bulgogi
- 설렁탕 Seolleongtang
- 메뉴 la carte
- 잠시 기다려요 patientez un moment
- 맛있다 délicieux
- 이 ce(cette)
- 자동판매기 un distributeur automatique
- 블랙 커피 un café noir
- 마시다 boire
- 마실게요 aller prendre
- 동전 des pièces de monnaie
- 넣다 mettre
- 그리고 et
- 버튼 un bouton
- 누르다 appuyer sur
- 어느 것 lequel/laquelle
- 밀크 커피 un café au lait
- 설탕 커피 un café sucré
- 어떻게 comment
- 사용하다 utiliser
- 100원 짜리 une pièce de 100wons

Exercices de Vocabulaire

La Nourriture Coréenne

김치 (Kimchi)

포기김치, 물김치, 깍두기, 보쌈김치, 총각김치, 오이소박이, 파김치, 부추김치, 깻잎김치

밥 (le riz cuit)

쌀밥, 보리밥, 잡곡밥, 팥밥, 차조밥

나물 (des légumes épicés)
시금치, 콩나물, 고사리, 숙주나물, 파래무침, 도라지무침, 오이무침, 호박볶음, 무채나물

생선 (les poissons)
조기, 옥돔, 참치, 꽁치, 갈치, 고등어, 가자미, 대구, 명태

전 (des mets enrobés de farine)
고기산적, 녹두지짐, 파전, 깻잎전, 호박전, 감자전

찌개 (des potages)
된장찌개, 김치찌개, 참치찌개, 두부찌개, 비지찌개, 동태찌개, 버섯전골, 오징어전골

국 (des soupes)
미역국, 북어국, 쇠고기국, 감자국, 무국, 시금치된장국, 배추된장국, 콩나물국, 육개장, 떡국, 만두국, 삼계탕

Structures Grammaticales et Expressions

1 Pour commander un plat dans un restaurant, utilisez '인 분' après un chiffre sino-coréen. On utilisera le classificateur de chiffre '그릇' après un chiffre purement coréen.

(1) 비빔밥 ________ 그릇 : '한 그릇' est un plat.
bibimbap geureut

한	세	다섯	일곱	열

(2) 불고기 ________ 인분 : '일 인분' signifie 'pour une personne'.
bulgogi inbun

일	이	육	구	십

2 Pour demander à une personne ce qu'elle veux manger, utilisez l'expression '드시겠습니까?', Cette expression peut être décomposée en '드시+겠+습니까?'. '드시다' est une forme honorifique du verbe '먹다(manger)', '시' est un marqueur honorifique et '~겠~', le marqueur temporel du futur, et '~습니까?' est une terminaison de l'interrogation honorifique.

________ **을(를) 드시겠습니까?** : Voulez-vous prendre (   )?

비빔밥	불고기	우동	국수	수제비	떡국
bibimbap	bulgogi	udong	guksu	sujebi	tteokguk

③ '먹을래요?', est une forme d'interrogation informelle qui peut être analysée en '먹다(manger)으+ㄹ래요?', '~ㄹ래요?' sert à demander l'intention de l'interlocuteur. '으' est inséré pour faciliter la prononciation parce que le radical '먹' se termine par une consonne. Le même analyse peut s'appliquer à '마실래요?' en '마시다+ㄹ래요?'. Mais contrairement à '먹을래요', la racine verbale de ce mot se termine par une voyelle et par conséquent, l'insertion d'une voyelle n'est pas nécessaire. Comme nous l'avons dit auparavant, la même terminaison de phrase fonctionne pour une assertion avec une intonation descendante, et pour une question avec une intonation montante. Dans ce cas, '~ㄹ래요' signifie l'intention ou la volonté du locuteur.

> ________ **을(를) 먹을래요?** : Voulez-vous prendre (   )?
> ________ **을(를) 마실래요?** : Voulez-vous boire (   )?

라면 ramyeon	피자 pija	김밥 gimbap	햄버거 haembeogeo	국수 guksu
커피 keopi	콜라 kolla	사이다 saida	주스 juseu	

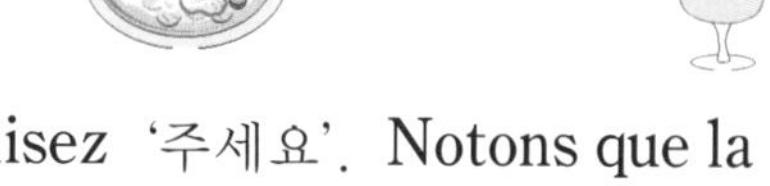

④ Pour commander un plat dans un restaurant, utilisez '주세요'. Notons que la même expression est employée pour le shopping.

> ________ **주세요.** : Donnez-moi (   ), s'il vous plaît.

삼계탕 일인 분 samgyetang ilinbun	한정식 이인 분 hanjeongsik i-inbun	불고기 육인 분 bulgogi yuk-inbun
설렁탕 한 그릇 seolleongtang han geureut	자장면 세 그릇 jajangmyeon se geureut	

⑤ '어떻' est un mot interrogatif qui signifie 'comment'.

> **어떻게** : comment

어떻게 사용해요?
eotteoke sayonghaeyo
Comment on utilise ça?

어떻게 가요?
eotteoke gayo
Comment peut-on y aller?

⑥ La phrase qui se termine par '마실게요' est employée avec un verbe indiquant une intention du sujet à la première personne.

> **~(으)ㄹ게요.** : aller+verbe

밀크 커피 마실게요.
milk keopi masilgeyo
Je vais boire un café au lait.

공부할게요.
gongbuhalgeyo
Je vais tudier.

불고기 먹을게요.
bulgogi meogeulgeyo
Je vais manger du Bulgogi.

Exercices

1 Répondez à la question suivante en utilisant les mots entre parenthèses.

Exemple
Q : 무엇을 드시겠습니까? Qu'est-ce-que vous voulez prendre?

(1) ____________ 먹을래요. (불고기)
(2) ____________ 먹을래요. (설렁탕)
(3) ____________ 먹을래요. (자장면)
(4) ____________ 먹을래요. (우동)

2 Posez la question qui permet de savoir, si le plat est bon.

(1) 비빔밥이 ________________?
(2) 불고기가________________?
(3) 설렁탕이 ________________?
(4) 자장면이 ________________?
(5) 물냉면이 ________________?
(6) 된장찌개가 ________________?

3 Faites une commande en utilisant les mot dans ci-contre.

김밥	생선초밥	짬뽕	갈비	비빔냉면
만두국	떡만두국	칼국수	버섯전골	오징어전골

(1) Faites une commande avec '그릇'.

Exemple
칼국수 한 그릇 주세요. Donnez-moi un 칼국수, s'il vous plaît.

① ____________________ 주세요.
② ____________________ 주세요.
③ ____________________ 주세요.
④ ____________________ 주세요.
⑤ ____________________ 주세요.

(2) Faites une commande avec '~인 분'.

Exemple

만두 이인 분 주세요. Donnez-moi des 만두 pour deux personnes, s'il vous plaît.

① ________________ 주세요. ② ________________ 주세요.

③ ________________ 주세요. ④ ________________ 주세요.

⑤ ________________ 주세요.

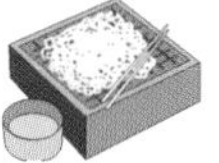

4 Complétez les phrases suivantes avec les mots donnés dans l'exercice **3**.

(1) ____________이(가) 맛있어요. (2) ____________이(가) 맛없어요.

(3) ____________이(가) 맛있어요. (4) ____________이(가) 맛없어요.

(5) ____________이(가) 맛있어요. (6) ____________이(가) 맛없어요.

(7) ____________이(가) 맛있어요. (8) ____________이(가) 맛없어요.

5 Complétez les phrases suivantes avec les mots donnés dans l'exemple.

Exemple

밀크 커피 설탕 커피 블랙 커피 율무차 코코아 유자차

▸ Voulez-vous prendre (   ) ?

(1) ____________ 마실래요? (2) ____________ 마실래요?

(3) ____________ 마실래요? (4) ____________ 마실래요?

(5) ____________ 마실래요? (6) ____________ 마실래요?

Lecture

(1) 무엇을 드시겠습니까? Qu'est ce que vous voulez prendre?

(2) 자장면 한 그릇 주세요. Un Zazanmyone, s'il vous plaît.

(3) 100원짜리 동전을 다섯 개 넣으세요. Mettez cinq pièces de 100 wons.

(4) 저는 블랙 커피 마실게요. Je vais prendre un café noir.

(5) 우동 두 그릇 주세요. Deux Oudong, s'il vous plaît.

제 10 과
Leçon 10

여보세요? Allô?

Phrases Principales

1. 여보세요? Allô?
   yeoboseyo
2. 수미 씨 있어요? Sumi est là?
   sumi ssi isseoyo

Dialogues

Dialogue 1

요시코: 여보세요? 인수 씨 있어요?
yeoboseyo insu ssi isseoyo
Allô? Insu est là?

인 수: 저예요. 요시코 씨. C'est moi, Mlle. Yosiko.
jeoyeyo yosiko ssi

요시코: 몇 시에 만날까요?
myeot sie mannalkkayo
A quelle heure on se voit?

인 수: 2시에 만나요. On se voit à 2 heures.
dusie mannayo

요시코: 어디에서 만날까요? Où est-ce qu'on se voit?
eodieseo mannalkkayo

인 수: 이태원 맥도날드에서 만나요.
itaewon maekdonaldeu-eseo mannayo
On se voit au McDonald's d'Itaewon.

Dialogue 2

요시코: 여보세요? Allô?
yeoboseyo

소 라: 누구세요? Qui est à l'appareil?
nuguseyo

요시코: 저는 요시코예요. C'est Yosiko.
jeoneun yosikoyeyo

소　라: 누구 찾으세요? Qui demandez-vous?
nugu chajeuseyo

요시코: 인수 씨를 찾습니다.
insu ssireul chasseumnida
Insu, s'il vous plaît.

소　라: 지금 여기 안 계십니다.
jigeum yeogi an gyesimnida
Il n'est pas là pour le moment.

요시코: 요시코가 전화했다고 전해 주세요.
yosikoga jeonhwahaetdago jeonhae juseyo
Dites-lui que Yosiko l'a appelé, s'il vous plaît.

Vocabulaire et Phrases

- ~씨 Mme. / Mlle. / Mr.
- 있어요? être là?
- 없어요? ne pas être là?
- 저예요 c'est moi (-même)
- 지금 maintenant
- 여기 ici
- 안 ne~pas
- 2시 2 heures
- 어디에서 où
- 이태원 Itaewon
- 맥도날드 McDonald
- 여보세요? allô (au téléphone)?
- 누구 qui
- (누구를) 찾으세요? (Qui) demandez-vous?
- 몇 시 à quelle heure
- 만날까요? se voit-on?
- 만나다 se voir, rencontrer
- 계십니다 (il/elle) est là
- 안 계십니다 (il/elle) n'est pas là
- 전화했다고 d'avoir téléphoné
- 전해 주세요 Dites-lui que..., s'il vous plait.
- 전화 le téléphone

Exercices de Vocabulaire

Dire l'heure

- 한 시 1:00 hansi
- 두 시 2:00 dusi
- 세 시 3:00 sesi
- 네 시 4:00 nesi
- 다섯 시 5:00 daseotsi
- 한 시 반 1:30 hansi ban
- 두 시 반 2:30 dusi ban
- 세 시 반 3:30 sesi ban
- 네 시 반 4:30 nesi ban
- 한 시 십 분 1:10 hansi sipbun
- 두 시 이십 분 2:20 dusi isipbun
- 세 시 사십 분 3:40 sesi sasipbun
- 네 시 십 분 전 3:50 nesi sipbun jeon
- 다섯 시 십오 분 전 4:45 daseotsi sipobun jeon

세 시 3:00
sesi

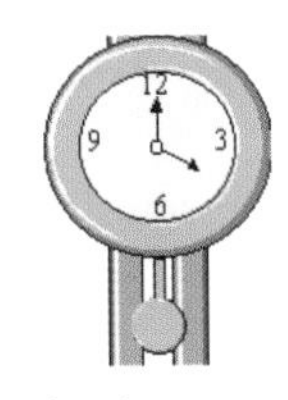

네 시 4:00
nesi

열두 시 오십오 분 12:55
yeoldusi osipobun
한 시 오 분 전
hansi obun jeon

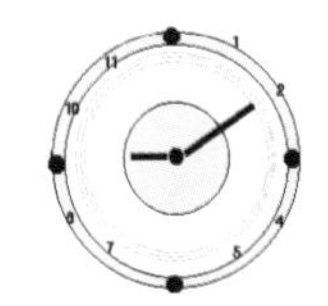

아홉 시 십 분 9:10
ahopsi sipbun

여섯 시 오십 분 6:50
yeoseosi osipbun
일곱 시 십 분 전
ilgopsi sipbun jeon

두 시 오십오 분 2:55
dusi osipobun
세 시 오 분 전
sesi obun jeon

한 시 사십오 분 1:45
hansi sasipobun

다섯 시 5:00
daseotsi

열두 시 사십 분 12:40
yeoldusi sasipbun

열 시 반 10:30
yeolsi ban
열 시 삼십 분
yeolsi samsipbun

열한 시 오 분 11:05
yeolhansi obun

Les différents types de pronoms interrogatif

누구 (qui)	**무엇** (que)	**어디** (où)	**언제** (quand)
어느 것 (lequel/laquelle)		**어떻게** (comment)	**왜** (pourquoi)

누구를 좋아합니까?
nugureul joahamnikka
Qui aimez-vous?

무엇을 합니까?
mueoseul hamnikka
Que faites-vous?

어디에 갑니까?
eodie gamnikka
Où allez-vous?

언제 갑니까?
eonje gamnikka
Quand y allez-vous?

어느 것을 좋아합니까?
eoneu geoseul joahamnikka
Lequel (Laquelle) aimez-vous?

어떻게 사용합니까?
eotteoke sayonghamnikka
Comment utiliser?

Structures Grammaticales et Expressions

1. Pour commencer une conversation au téléphone, utilisez l'expression '여보세요?'

> **여보세요?** : Allô?

2. Pour demander à parler à une personne au téléphone, utilisez l'expression '있어요?'. '계세요?' est une forme honorifique de '있어요?'. En général, '있어요?' est employé pour demander un ami ou des parents proches et '계세요?', pour demander une personne plus âgée ou à une personne socialement supérieure.

> ___________ **있어요? / 계세요?** : ___________ est là?

수미 씨	헨리 씨	소라 씨	앤디 씨	영주 씨	존 씨
사장님	과장님	목사님	원장님	선생님	신부님

3. Si on ne connaît pas la personne qui est au téléphone, on peut demander son identité avec l'expression '누구세요 Quand on veux savoir qui est la personne demandée au téléphone, on utilise 누구 찾으세요?'.

> **누구세요?** : Qui est à l'appareil? **누구(를) 찾으세요?** : Qui demandez-vous?

4. La question qui se termine par '~(으)ㄹ까요?', sert à demander l'opinion de l'interlocuteur.

> ___________ **만날까요?** : Se voit-on ___________?

두 시에	네 시에	다섯 시에	일곱 시에
du sie	ne sie	daseot sie	ilgop sie
à deux heures	à quatre heures	à cinq heures	à sept heures

5. Pour faire une phrase informelle mais polie, ajoutez '~요', après le radical. '~에서', est une particule qui vient après un nom.

> ___________ **에서 만나요.** : On se voit à ___________.

맥도날드	버거킹	웬디스	지하철역
maekdonaldeu	beogeoking	wendis	jihacheolyeok
McDonald's	Burger King	Wendy's	la station de métro

⑥ Pour laisser un message, utilisez l'expression '~고 전해주세요.' après votre phrase de message. '~고', quivalant à 'que' en français, est une conjonction qui introduit une autre proposition subordonnée.

~고 전해 주세요 : Dites-lui que ~ s'il vous plaît.

전화했다고 전해 주세요. Dites-lui que je l'ai appelé(e), s'il vous plaît.
jeonhwahaetdago jeonhae juseyo

찾는다고 전해 주세요. Dites-lui que je le cherche, s'il vous plaît.
channeundago jeonhae juseyo

Notons que le marqueur temporel du passé '었' se suffixe au radical ce qui donne la forme contractée '전화했다'. Le marqueur temporel du présent '~는' est suiffixé au radical et en résulte '찾는다'.

Exercices

1 Complétez les dialogues suivants avec les noms entre parenthèses.

Exemple
여보세요? 수미 씨 있어요? : Allô? Mlle. Sumi est là?

(1) ______? ______ 있어요?(요시코) (2) ______? ______ 있어요?(재헌)

(3) ______? ______ 있어요?(사무엘) (4) ______? ______ 있어요?(푸휘)

2 Répondez à la question suivante en tenant compte des indications entre parenthèses.

Exemple
여보세요? (votre nom) 씨 있어요?

Réponse 1 : ____________ (Vous connaissez la personne qui est au téléphone.)
Réponse 2 : __________ (Vous ne connaissez pas la personne qui est au téléphone.)

3 Complétez les phrases suivantes avec les mots appropriés.

(1) ________에 만날까요? (demander l'heure)

(2) ________에 만나요. (donner l'heure)

(3) ________에서 만날까요? (demander où se trouve un endroit)

(4) ________에서 만나요. (indiquer un endroit)

4 Réécrivez les phrases au style honorifique.

(1) 나는 인수예요. → ________. Je m'appelle Insoo.

(2) 그녀는 요시코예요. → ________. C'est Yosiko.

(3) 우리는 학생이에요. → ________. Nous sommes étudiants.

(4) 그들은 선생님이에요. → ________. Ils sont professeurs.

(5) 이 사람은 누구예요? → ________. Qui est cet homme?

(6) 나는 이사를 만났어요. → ________. J'ai rencontré 이사.

(7) 나는 전무를 만났어요. → ________. J'ai rencontré 전무.

(8) 나는 부장을 만났어요. → ________. J'ai rencontré 부장.

(9) 나는 과장을 만났어요. → ________. J'ai rencontré 과장.

Lecture

(1) 여보세요? 114입니까?
Allô? C'est bien le 114?

(2) 인수 씨 있어요?
Insu est là?

(3) 요시코가 전화했다고 전해 주세요.
Dites-lui que Yosiko l'a appelé.

(4) 몇 시에 어디에서 만날까요?
Quand et où peut-on se voir?

(5) 인수 씨는 지금 여기 안 계십니다.
Insu n'est pas là pour le moment.

제 11 과
Leçon 11

이태원은 어떻게 가요?
Comment peut-on aller à Itaewon?

Phrases Principales

1. 이태원은 어떻게 가요? — Comment peut-on aller à Itaewon?
   itaewoneun eotteoke gayo
2. 지하철을 타세요. — Prenez le métro.
   jihacheoreul taseyo

Dialogues

Dialogue 1

존 : 이태원은 어떻게 가요?
itaewoneun eotteoke gayo
Comment peut-on aller à Itaewon?

유미: 지하철 6호선을 타세요.
jihacheol yukhoseoneul taseyo
Prenez le métro, ligne 6.

그리고, 이태원 역에서 내리세요.
geurigo itaewon yeogeseo naeriseyo
Puis descendez à la station 이태원.

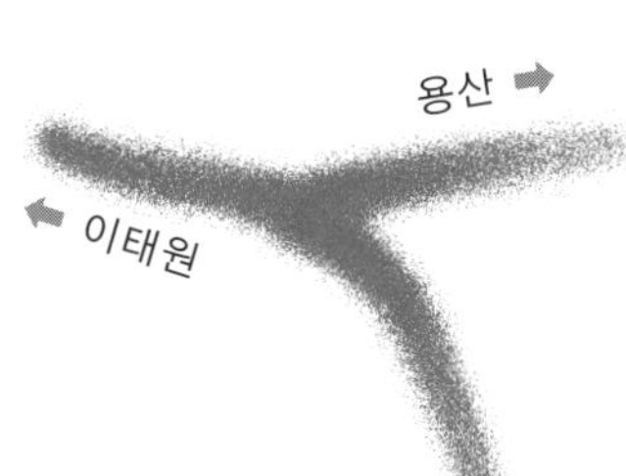

존 : 맥도날드는 어떻게 가요?
maekdonaldneun eotteoke gayo
Comment peut-on aller chez McDonald's?

유미: 지하철 역에서 걸어서 가세요.
jihacheol yeogeseo georeoseo gaseyo
À partir de la station de métro, vous allez à pied.

존 : 걸어서 얼마나 걸려요?
georeoseo eolmana geollyeoyo
Combien de temps faut-il à pied?

유미: 금방이에요.
geumbangieyo
C'est tout près de là.

Dialogue 2

존 : 이태원역 한 장 주세요.
itaewon-yeok hanjang juseyo
Un ticket pour la station 이태원역, s'il vous plaît.

직원: 600원입니다.
yukbaek wonimnida
C'est 600 wons.

존 : 어느 쪽으로 가요?
eoneu jjogeuro gayo
Quelle direction je prends?

직원: 저 표시를 따라가세요.
jeo pyosireul ttaragaseyo
Suivez le panneau là-bas.

존 : 감사합니다. Merci.
gamsahamnida

(지하철을 탄다.) Il monte dans le métro.
jihacheoreul tanda

Annouce dans le métro.
지하철 방송: 다음 역은 이태원역입니다.
daeum yeogeun itaewon-yeogimnida
La prochaine station est 이태원.

내리실 문은 왼쪽입니다.
naerisil muneun oenjjogimnida
Veuillez sortir par la porte gauche.

Vocabulaire et Phrases

- 600원 600 wons
- 어떻게 comment
- 지하철 le métro
- 6호선 la ligne 6
- 이태원역 la station Samkakchi
- 내리세요 descendre
- 타세요 prendre
- 왼쪽 à gauche
- 걸려요 falloir (concernant le temps)
- 어떻게 가요? Comment peut-on aller à~?
- 어느 quel(le)
- 어느 쪽 quelle direction
- 저기 là-bas
- 표시 le panneau
- 따라가세요 suivre
- 다음 prochain
- 다음 역 la prochaine station
- 걸어서 idti pewkom
- 내리실 문 la porte de sortie

Exercices de Vocabulaire

Les Moyens de Transport

자전거 la bicyclette
jajeongeo

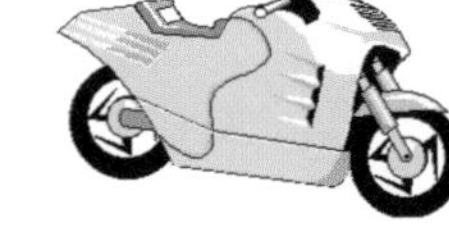
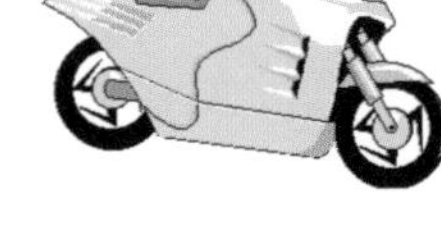

오토바이 la moto
otobai

승용차 la voiture
seungyongcha

버스 le bus
beos

기차 le train
gicha

지하철 le métro
jihacheol

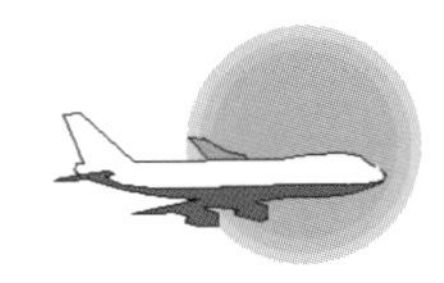

비행기 l'avion
bihaenggi

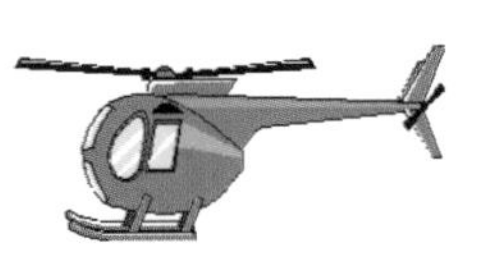

헬리콥터 l'hélicoptère
hellikopteo

여객선
yeogaekseon
le bateau-omnibus

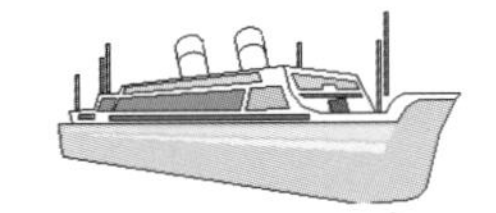

유람선
yuramseon
le bateau de plaisance

트럭
teureok
le camion

택시
taeksi
le taxi

Structures Grammaticales et Expressions

1 Pour savoir comment aller à un endroit, utilisez l'expression suivante.

> ________ **은(는) 어떻게 가요?** : Comment peut-on aller à ~?

맥도날드
maekdonaldeu
McDonald

지하철 역
jihacheolyeok
la station de métro

이태원
itaewon
Itaewon

학교
hakgyo
l'école

출입국 관리 사무소
churipguk gwanri samuso
le bureau d'immigration

2 Pour demander la direction, utilisez l'expression suivante.

________ **으로 가요?** : Quelle direction je prends?

어느 쪽 quelle direction eoneu jjok	이쪽 par ici ijjok	저쪽 par là jeojjok	그쪽 par là-bas geujjok

3 Pour donner un conseil concernant un moyen de transport, utilisez l'expression suivante.

________ **(을)를 타세요.** : Prenez ________ .

지하철 le métro jihacheol	택시 le taxi taeksi	승용차 la voiture seungyongcha
버스 le bus beos	자전거 la bicyclette jajeongeo	오토바이 la moto otobai

Exercices

1 Complétez les phrases suivantes avec les mots donnés dans les exemples. (1)~(3)

(1)

Exemple
이태원, 김포공항, 여의도, 한강시민공원, 롯데월드, 민속촌

① ________________에 어떻게 가요?

② ________________에 어떻게 가요?

③ ________________에 어떻게 가요?

④ ________________에 어떻게 가요?

⑤ ________________에 어떻게 가요?

(2)

Exemple
기차, 배, 버스, 택시, 승용차

① ____________________ 을(를) 타고 가(세)요.

② ____________________ 을(를) 타고 가(세)요.

③ ____________________ 을(를) 타고 가(세)요.

④ ____________________ 을(를) 타고 가(세)요.

⑤ ____________________ 을(를) 타고 가(세)요.

(3)

Exemple
지하철을(를) 타세요.

① ____________________ (버스 le bus)

② ____________________ (택시 le taxi)

③ ____________________ (유람선 le bateau de plaisance)

④ ____________________ (오토바이 la moto)

⑤ ____________________ (자전거 la bicyclette)

2 Répondez à la question dans l'encadré en utilisant les mots de direction mis entre parenthèses.

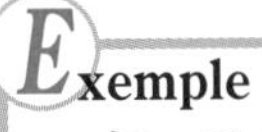

Exemple
어느 쪽으로 가야 돼요?

(1) ____________________ 으로 가세요. (왼쪽 à gauche)

(2) ____________________ 으로 가세요. (오른쪽 à droite)

(3) ____________________ 으로 가세요. (이쪽 par ici)

(4) ____________________ 으로 가세요. (저쪽 par là)

(5) ____________________ 가세요. (곧장 tout droit)

3 Complétez les phrases suivantes avec un nom de lieu, que vous connaissez.

(1) ____________________에 가요.

(2) ____________________에 가요.

(3) ____________________에 가요.

(4) ____________________에 가요.

(5) ____________________에 가요.

Lecture

(1) 소라 씨, 집에는 어떻게 가요?
Sora, comment vous rentrez chez vous?

(2) 서울역 한 장 주세요.
Un ticket pour la station Séoul, s'il vous plaît.

(3) 어느 쪽으로 가세요?
Quelle direction vous prenez?

(4) 지하철로 얼마나 걸려요?
Combien de temps faut-il par le métro?

(5) 어디에서 내리세요?
Où descendez-vous?

제 12 과

Leçon 12

저는 내일 여행 갈 거예요.

Je pars en voyage demain.

Phrases Principales

1. 저는 내일 여행 갈 거예요. — Je pars en voyage demain.
   jeoneun naeil yeohaeng gal geoyeyo
2. 무궁화호 한 장 주세요. — Donnez-moi un billet en Mugunghwaho.
   mugunghwaho han jang juseyo

Dialogues

Dialogue 1

존 : 저는 내일 여행 갈 거예요.
jeoneun naeil yeohaeng gal geoyeyo
Je pars en voyage.

유미: 어디 가세요?
eodi gaseyo
Où allez-vous?

존 : 경주에 갈 거예요. Je vais à Gyeongju.
gyeongjue gal geoyeyo

한국의 전통적인 도시를 보고 싶어요.
hangugui jeontongjeogin dosireul bogo sipeoyo
Je voudrais visiter Une ville typique de la Corée.

유미: 불국사가 가장 유명해요. 꼭 가 보세요.
bulguksaga gajang yumyeonghaeyo kkok ga boseyo
Bulguksa (temple bouddhique) est le monument le plus connu. Il faut aller le voir.

좋은 여행 되세요. Bon voyage.
joeun yeohaeng doeseyo

Dialogue 2

존 : 3시 30분 무궁화호 한 장 주세요.
sesi samsipbun mugunghwaho han jang juseyo
Un billet en Mugunghwaho à 3h 30.

직원 : 어디 가세요? Où allez-vous?
eodi gaseyo

존 : 설악산에 갑니다.
seoraksane gamnida
Je vais au Mont Seorak.

직원 : 조금 늦으셨어요. 방금 떠났어요.
jogeum neujeusyeosseoyo bang-geum tteonasseoyo
Vous êtes arrivé en retard. Il vient de partir à l'instant.

존 : 다음 열차는 몇 시에 있습니까?
daum yeolchaneun myeot sie itseumnikka
A quelle heure part le prochain train?

직원 : 4시 10분 새마을호입니다.
nesi sipbun saemaeulhoimnida
A 4h10, en Saemaeulho.

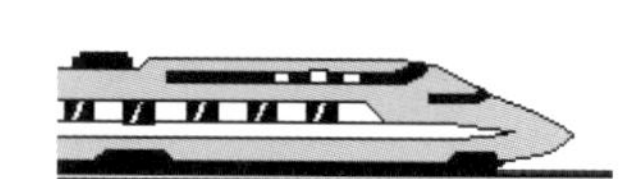

존 : 새마을호 한 장 주세요.
saemaeulho han jang juseyo
Un billet en Saemaeulho, s'il vous plaît.

Vocabulaire et Phrases

- 내일 demain
- 여행 le voyage
- 갈 거예요 aller (futur)
- 어디 où
- 가세요? allez-vous?
- 표 billet
- 갑니다 aller
- 전통적인 traditionnel
- 보고 싶어요 vouloir voir
- 몇 시? quelle heure
- 주세요 donnez-moi ~, s'il vous plaît.
- 보다 voir
- 가장 le plus
- 유명한 connu/célèbre
- 가 보세요 allez voir
- 꼭 sûrement
- 좋은 bon
- 도시 la ville
- 조금 un peu
- 무궁화호 Mugunghwaho
- 새마을호 Saemaeulho
- 방금 à l'instant
- 떠났어요 être parti
- 다음 prochain
- 열차 le train
- 경주 Gyeongju
- 한국 la Corée
- 늦다 être en retard

Exercices de Vocabulaire

Les Principales Gares en Corée

서울역, 수원역, 대전역, 대구역, 동대구역, 부산역

Les Types de Trains

새마을호, 무궁화호, 통일호

Compter les Billets : chiffre + 장 (classificateur de chiffre)

네 장, 다섯 장, 여덟 장, 열 장, 열두 장

Les Principales Villes en Corée

서울, 부산, 인천, 대구, 광주, 대전, 울산, 제주, 춘천

Les Villes Autour de Séoul

수원, 안양, 부천, 분당, 성남, 구리, 일산, 안산, 과천

Structures Grammaticales et Expressions

1. '가세요?' peut être analysé comme '가(다)+시+어요'. '시' est un marqueur honorifique et '어요' est le suffixe verbal d'une forme polie mais informelle. '~시+어' est contracté en '셔' ou '세', ce qui donne les formes comme '가셔요?' ou '가세요?'. Remarquez que '가세요/가셔요' peut être le suffixe verbal pour faire une injonction à la forme polie comme dans '안녕히 가세요/가셔요' avec une intonation descendante.

어디 가세요? : Où allez-vous?

경주에 가세요?
gyeongjue gaseyo
Vous allez à Gyeongju?

설악산에 가세요?
seoraksane gaseyo
Vous allez au Mont Seorak?

2. La particule '~에' est employée pour indiquer non seulement l'endroit et l'heure mais aussi la direction, '~에' peut être remplacée par. '~로' pour indiquer une direction.

경주에 갈 거예요.
gyeongjue gal geoyeyo
Je vais à Gyeongju.

경주로 갈 거예요.
gyeongjuro gal geoyeyo
Je vais à Gyeongju.

③ '~고 싶어요', peut être analysé comme 'racine du verbe+고+싶(다)+어요' et qui traduit un souhait, un désir, ou une attente. Cette structure peut être utilisée avec le sujet à la permière personne du singulier 'je' ou du pluriel 'nous', mais le sujet est en général omis en coréen.

보고 싶어요 : vouloir voir

경주를 보고 싶어요.
gyeongjureul bogo sipeoyo
Je veux voir Gyeongju.

수미를 보고 싶어요.
sumireul bogo sipeoyo
Je veux voir Sumi.

④ '가장' signifiant 《le plus》, est une phrase superlative tandis que '더', 《plus》, est une phrase comparative.

가장 유명해요 : être le plus connu

불국사가 가장 유명해요.
bulguksaga gajang yumyeonghaeyo
Bulguksa est le plus connu.

불국사가 해인사보다 더 유명해요.
bulguksaga haeinsaboda deo yumyeonghaeyo
Bulguksa est plus connu que Haeinsa.

⑤ L'expression '좋은 ~ 되세요' est une sorte de salutation qui veut dire "Bon(bonne) ~."

좋은 여행 되세요. : Bon voyage.

좋은 밤 되세요.
joeun bam doeseyo
Bonne soirée.

좋은 주말 되세요.
joeun jumal doeseyo
Bon week-end.

⑥ Pour acheter des billets de train, dites au guichetier l'heure de départ, le type de train et le nombre de billets. Lorsque vous comptez les billets, utilisez le classificateur de chiffre '장' après le nombre des billets. Le verbe pour demander les billets est '주세요' (donnez moi~)

Heure	Type de Train	Nombre de Billets
3시 30분	무궁화호 Mugunghwaho	한 장 han jang
4시	통일호 Tong-ilho	두 장 du jang
5시	새마을호 Saemaeulho	세 장 se jang

Exercices

1 Répondez à la question ci-dessous en utilisant les mots entre parenthèses.

Exemple
Question : 어디 가십니까?

(1) réponse : ________________ 갑니다. (강릉)

(2) réponse : ________________ 갑니다. (경주)

(3) réponse : ________________ 갑니다. (설악산)

(4) réponse : ________________ 갑니다. (지리산)

(5) réponse : ________________ 갑니다. (남해안)

2 Conjuguez les verbes entre parenthèses en tenant compte des indications.

(1) 판교로 ____________________ . (aller)

(2) 안양에 ____________________ . (irai)

(3) 용인에 ____________________ . (irai)

(4) 광주로 ____________________ . (vouloir aller)

(5) 분당으로 ____________________ . (aller)

3 Complétez les phrases suivantes avec l'information donnée entre parenthèses.

(1) 표 ______ 주세요. (5 billets)

(2) 표 ______ 주세요. (10 billets)

(3) 표 ______ 주세요. (7 billets)

(4) 표 ______ 주세요. (11 billets)

(5) 표 ______ 주세요. (14 billets)

4 Complétez les phrases suivantes à partir de l'exemple donné ci-contre.

Exemple
두 시 무궁화호 한 장 주세요.

(1) ________________________________ 주세요.

(2) ________________________________ 주세요.

(3) ________________________________ 주세요.

(4) ________________________________ 주세요.

(5) ________________________________ 주세요.

5 Complétez les phrases suivantes pour commander des billets.

(1) 새마을호 ______________________ .

(2) 통일호 ______________________ .

(3) 고속버스 ______________________ .

(4) 무궁화호 침대칸 ______________ .

Lecture

(1) 저는 모레 여행을 떠날 거예요.
Je pars en voyage après demain.

(2) 설악산을 보고 싶어요.
Je veux voir 설악산.

(3) 경주에 가고 싶어요.
Je veux aller à 경주.

(4) 불국사가 가장 유명해요.
불국사 est le monument le plus connu.

(5) 새마을호 한 장 주세요.
Donnez-moi un billet en classe 새마을호.

제 13 과

Leçon 13

방 구하기 Louer une chambre

Phrases Principales

1. 자취방 있어요? Avez-vous une chambre à louer?
   jachwibang isseoyo
2. 계약서를 작성합시다. Remplissons le contrat.
   gyeyakseoreul jakseonghapsida

Dialogues

Dialogue 1

존 : 자취방 있어요?
jachwibang isseoyo
Avez-vous une chambre à louer?

주인: 이쪽으로 앉으세요. Asseyez-vous par ici.
ijjogeuro anjeuseyo

존 : 얼마 정도 합니까?
eolma jeongdo hamnikka
C'est combien, à peu près?

주인: 보증금 100만 원에 월 10만 원 정도예요.
bojeung-geum baekman wone wol sipman won jeongdoyeyo
Un million de wons de caution et 100,000 wons de loyer par mois.

존 : 집 구경 할 수 있어요?
jip gugyeong hal su isseoyo
Je peux visiter la chambre?

주인: 예, 지금 같이 가 보시겠습니까?
ye jigeum gachi ga bosigetseumnikka
Bien sûr, voulez-vous me suivre, s'il vous plaît.

Dialogue 2

주인: 이 방입니다. Cette chambre est à louer.
i bang-imnida

존 : 방이 깨끗하고 좋군요. Elle est agréable et propre.
bang-i kkaekkeutago jokunyo

이 방으로 하겠습니다.
i bang-euro hagetseumnida
Je vais prendre cette chambre.

주인: 사무실에서 계약서를 작성하도록 합시다.
samusileseo gyeyakseoreul jakseonghadorok hapsida
Remplissons le contrat à mon bureau.

주인: 여기에 이름과 주소와 여권 번호를 적어 주세요.
yeogie ireumgwa jusowa yeogwon beonhoreul jeogeo juseyo
Mettez ici votre nom, adresse et votre numéro de passeport.

그리고 계약 기간은 1년으로 하시겠어요?
geurigo gyeyak giganeun ilnyeoneuro hasigesseoyo
Et voulez-vous que la durée de bail soit d'un an?

존 : 예, 1년으로 하겠습니다.
ye ilnyeoneuro hagtseumnida
Oui, je voudrais un contrat d'un an.

주인: 계약금을 지불하시겠어요?
Gyeyaggeumeul jibulhasigesseoyo
Voulez-vous payer les arrhes maintenant?

존 : 예, 여기 있습니다.
ye yeogi itseumnida
Oui, tenez.

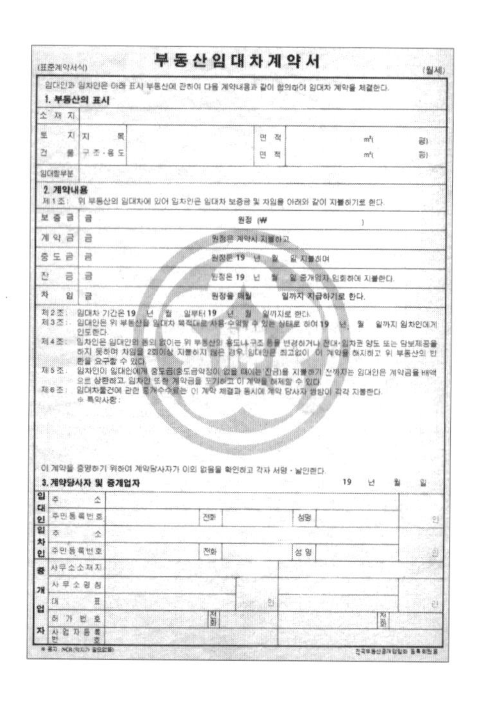

(표준계약서식) **부동산임대차계약서** (월세)

임대인과 임차인은 아래 표시 부동산에 관하여 다음 계약내용과 같이 합의하여 임대차 계약을 체결한다.

1. 부동산의 표시

소재지			
토지	지목	면적	m²(평)
건물	구조·용도	면적	m²(평)
임대할부분			

2. 계약내용

제1조: 위 부동산의 임대차에 있어 임차인은 임대차 보증금 및 차임을 아래와 같이 지불하기로 한다.

보증금	금 원정 (₩)
계약금	금 원정은 계약시 지불하고
중도금	금 원정은 19 년 월 일 지불하며
잔금	금 원정은 19 년 월 일 중개업자 입회하에 지불한다.
차임	금 원정을 매월 일까지 지급하기로 한다.

제2조: 임대차 기간은 19 년 월 일부터 19 년 월 일까지로 한다.
제3조: 임대인은 위 부동산을 임대차 목적대로 사용·수익할 수 있는 상태로 하여 19 년 월 일까지 임차인에게 인도한다.
제4조: 임차인은 임대인의 동의 없이는 위 부동산의 용도나 구조 등을 변경하거나 전대·임차권 양도 또는 담보제공을 하지 못하며 차임을 2회이상 지불하지 않은 경우 임대인은 최고없이 이 계약을 해지하고 위 부동산의 반환을 요구할 수 있다.
제5조: 임차인이 임대인에게 중도금(중도금약정이 없을 때에는 잔금)을 지불하기 전까지는 임대인은 계약금을 배액으로 상환하고, 임차인 또한 계약금을 포기하고 이 계약을 해제할 수 있다.
제6조: 임대차물건에 관한 중개수수료는 이 계약 체결과 동시에 계약 당사자 쌍방이 각각 지불한다.
※ 특약사항:

이 계약을 증명하기 위하여 계약당사자가 이의 없음을 확인하고 각자 서명·날인한다.

3. 계약당사자 및 중개업자 19 년 월 일

임대인	주소					
	주민등록번호		전화		성명	인
임차인	주소					
	주민등록번호		전화		성명	인
중개업자	사무소소재지					
	사무소명칭					
	대표		인			인
	허가번호		전화		전화	
	사업자등록번호					

전국부동산중개업협회 등록회원용

Vocabulaire et Phrases

- 부동산 l'immeuble
- 월 mensuel, par mois
- 좋다 bon, agréable
- 합시다 faisons
- 같이 avec, ensemble
- 1년으로 pour un an
- 계약금 les arrhes
- 정도 à peu près, approximativement
- 집 구경 visiter une chambre
- 계약 기간 la durée du bail
- 앉다 s'asseoir
- 지금 maintenant
- 계약서 le contrat
- 돈 l'argent
- 깨끗하다 propre
- 작성하다 remplir
- 자취방 une chambre
- 보증금 la caution
- 방 une chambre
- 얼마 정도 à peu près combien
- 사무실 bureau
- 할 수 있어요? Puis-je?

Exercices de Vocabulaire

Types de Location d'un Logement en Corée

전세 jeonse la location sur dépôt
월세 wolse la location au mois
자취 jachwi la location d'une chambre
하숙 hasuk la pension chez une famille

Structures Grammaticales et Expressions

1. Pour demander le prix, la taille et la durée approximatives, employez l'expression '얼마 정도 합니까?/됩니까?/입니까?' respectivement. Cette expression peut être analysée comme '얼마(combien) + 정도 (à peu près, degré, approximativement) + 합니까?/됩니까?/입니까?(être)'.

얼마 정도 합니까? / 얼마 정도 됩니까? / 얼마 정도입니까?
C'est combien approximativement ?

이 아파트는 얼마 정도 합니까?
i apateuneun eolma jeongdo hamnikka
Combien coûte cet appartement à peu près?

방 크기는 얼마 정도 됩니까?
bang keugineun eolma jeongdo doemnikka
Combien fait approximativement la taille de la chambre?

계약 기간은 얼마 정도입니까?
gyeyak giganeun eolma jeongdoimnikka
À peu près combien de temps dure la clause contractuelle?

② L'expression '~(으)ㄹ 수 있다', correspond en français au verbe 《pouvoir》. Pour faire une question du type informel mais poli, on attache '~어요?', après le radical '~있'.

아파트를 구경할 수 있어요? : Peut-on visiter l'appartement?

오늘 만날 수 있어요?
oneul mannal su isseoyo
Puis-je te voir aujourd'hui?

김치를 먹을 수 있어요?
gimchireul meogeul su isseoyo
Peux-tu manger du Kimchi?

③ Le marqueur temporel '~겠', est employé pour indiquer le futur. Il est utilisé à la fois pour une assertion et une question.

이 방으로 하겠습니다. : Je vais prendre cette chambre.

내일 다시 오겠습니다.
naeil dasi ogetseumnida
Je reviendrai demain.

내일 거기 가겠습니다.
naeil geogi gagetseumnida
J'irai demain.

영화관에 같이 가시겠습니까?
yeonghwagwane gachi gasigetseumnikka
Vous viendrez au cinéma avec moi?

④ L'expression '~고' signifie «et», elle permet de connecter deux adjectifs.

깨끗하고 좋다. : propre et agréable.

하늘이 파랗고 맑다.
haneuri parako makda
Le ciel est bleu et clair.

음식이 짜고 맵다.
eumsigi jjago maepda
Le plat est salé et épicé.

⑤ L'expression '~와/~과' est utilisé par relier des noms. '~과', est employé après un nom qui finit par une consonne, tandis que '~와'. est utilisé après un nom qui se termine par une voyelle.

이름과 주소와 여권 번호
: le nom, l'adresse et le numéro de passeport

바나나와 사과와 오렌지 les bananes, les pommes et les oranges
bananawa sagwawa orenji

음식과 음료수 les plats et les boissons
eumsikgwa eumryosu

⑥ La construction '~하도록/하기로 합시다', est utilisée pour proposer une idée qui veut dire 'allons-nous faire'. Le marqueur honorifique '~시' et la phrase qui finit par '다', forme le style formel et poli. Par contre, le style informel non poli sera '~하도록/하기로 하자'.

계약서를 작성하도록 합시다. : Remplissons le contrat.

공부를 하도록 합시다. Etudions.
gongbureul hadorok hapsida

불고기를 먹도록 합시다.
bulgogireul meokdorok hapsida
Prenons du Bulgogi.

공부를 하도록 하자. Etudions.
gongbureul hadorok haja

불고기를 먹도록 하자.
bulgogireul meokdorok haja
Prenons du Bulgogi.

Exercices

1 Changez la forme des verbes comme dans les exemples ci-contre.

Exemple
하다 → 할 수 있다. Pouvoir faire.
먹다 → 먹을 수 있다. Pouvoir manger.

(1) 쓰다 → ________ pouvoir écrire.
(2) 가져오다 → ______ pouvoir emporter.
(3) 가다 → ________ pouvoir aller.
(4) 사다 → ______ pouvoir acheter.

2 Ecrivez en toutes lettres les nombres comme dans l'exemple.

Exemple
1,000,000원 → 백만 원

(1) 2,500,000원 → ____________
(2) 3,000,000원 → ____________
(3) 450,000원 → ____________
(4) 150,000,000원 → ____________

3 Changez la forme des verbes comme dans l'exemple.

Exemple
가다 → 가겠어요 → 가겠습니다 → 가시겠어요?

(1) 오다 venir → ______ → ______ → ______?

(2) 잡다 attraper → ______ → ______ → ______?

(3) 놀다 jouer → ______ → ______ → ______?

(4) 믿다 croire → ______ → ______ → ______?

(5) 하다 faire → ______ → ______ → ______?

4 Reliez les noms suivants avec une conjonction de coordination appropriée.

(1) 이름, 주소, 여권 번호

(2) 가방, 열쇠, 수첩

(3) 컴퓨터, 디스켓, 프린트

(4) 갈비, 설렁탕, 냉면

(5) 한국 사람, 나이지리아 사람, 케냐 사람

5 Reliez les adjectifs suivants avec une conjonction de coordination appropriée.

(1) 아름답다(beau), 깨끗하다(propre)

(2) 고요하다(calme), 아늑하다(agréable), 넓다(spacieux)

(3) 착하다(doux), 정직하다(honnête)

Lecture

(1) 자취방 있어요? Vous avez une chambre à louer?

(2) 계약을 하시겠어요? Voulez vous signer le contrat?

(3) 계약 기간은 1년입니다. La durée du contrat est d'un an.

(4) 사무실에서 계약서를 작성합시다. Remplissons le contrat au bureau.

(5) 지금 방 구경을 할 수 있을까요? Je peux visiter la maison maintenant?

제 14 과
Leçon 14

은행에서 À la banque

Phrases Principales

1. 통장을 만들려고 하는데요.
   tongjang-eul mandeulryeogo haneundeyo
   Je voudrais ouvrir un compte courant à la banque.
2. 돈을 찾으려고 하는데요. Je voudrais retirer de l'argent.
   doneul chajeuryeogo haneundeyo

Dialogues

Dialogue 1

존 : 통장을 만들려고 하는데요.
tongjang-eul mandeulryeogo haneundeyo
Je voudrais ouvrir un compte courant à la banque.

은행원: 신청서를 작성해 주세요.
sincheongseoreul jakseonghae juseyo
Remplissez la fiche de demande, s'il vous plaît.

존 : 여기에는 무엇을 씁니까?
yeogieneun mueoseul sseumnikka
Qu'est-ce que je dois y mettre?

은행원: 여권 번호를 써 주세요.
yeogwon beonhoreul sseo juseyo
Écrivez votre numéro de passeport.

그리고 도장과 신분증을 주세요.
geurigo dojanggwa sinbunjeung-eul juseyo
Signez et donnez-moi votre pièce d'identité.

존 : 다 썼는데 이제 어떻게 하지요?
da sseonneunde ije eotteoke hajiyo
Je ai tout rempli. Qu'est-ce que je dois faire maintenant?

은행원: 잠시만 기다려 주세요.
jamsiman gidaryeo juseyo
Veuillez patienter un instant, s'il vous plaît.

(잠시 후)(Quelques minutes plus tard)

은행원: 여기 통장과 현금 카드가 있습니다.
yeogi tongjanggwa hyeongeum kadeuga itseumnida
Voici votre livret de banque et votre carte bancaire.

존 : 감사합니다. gamsahamnida Je vous remercie.

Dialogue 2

존 : 돈을 찾으려고 하는데요. Je voudrais retirer de l'argent.
doneul chajeuryeogo haneundeyo

은행원: 통장과 지급 신청서를 작성해 주세요.
tongjanggwa jigeub sincheongseoreul jakseonghae juseyo
Donnez-moi votre livret de banque et remplissez la fiche de retrait, s'il vous plaît.

도장을 주시고, 비밀 번호를 적어 주세요.
dojang-eul jusigo bimil beonhoreul jeogeo juseyo
Signez et tapez votre code secret.

존 : 여기 있습니다. yeogi itseumnida Voilà.

은행원: 여기 십만 원 짜리 수표 한 장과 현금 3만 원입니다.
yeogi sipman won jjari supyo han janggwa hyeongeum samman wonimnida
Voici 100,000 wons en chèque et 30,000wons en liquide.

확인해 보세요.
hwaginhae boseyo
Vérifiez, s'il vous plaît.

존 : 감사합니다.
gamsahamnida
Merci.

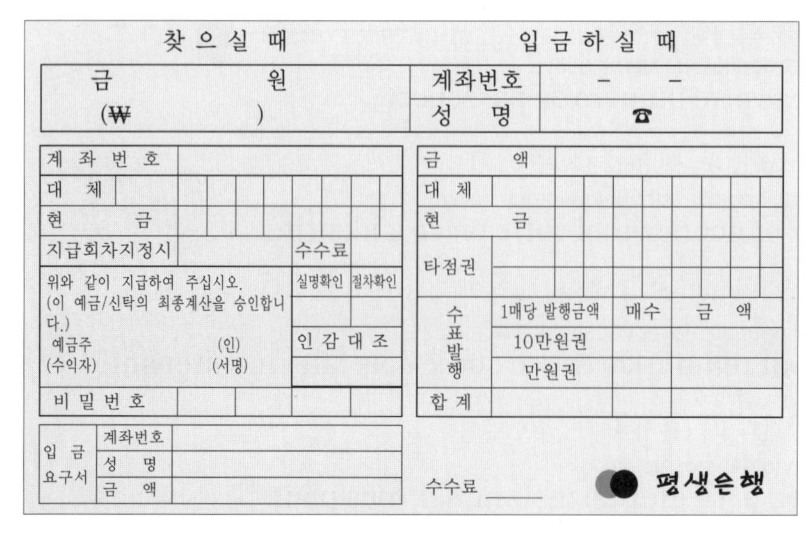

찾으실 때		입금하실 때	
금 원 (₩)		계좌번호	- -
		성 명	☎

찾으실 때			입금하실 때		
계좌번호			금 액		
대 체			대 체		
현 금			현 금		
지급회차지정시	수수료		타점권		
위와 같이 지급하여 주십시오. (이 예금/신탁의 최종계산을 승인합니다.) 예금주 (수익자) (인) (서명)	실명확인	절차확인	수표발행	1매당 발행금액	매수 / 금 액
	인 감 대 조			10만원권	
				만원권	
비밀번호			합 계		

입금 요구서	
계좌번호	
성 명	
금 액	

수수료 ____

평생은행

Vocabulaire et Phrases

- 통장 un livret de banque
- 현금 카드 une carte bancaire
- 수표 un chèque
- 현금 l'argent liquide
- 신분증 une pièce d'identité
- 확인해보다 essayer de vérifier
- 신청서 une fiche de demande
- 여권 번호 le numéro de passeport
- 만들려고 ouvrir(un compte courant)
- 만들다(통장) ouvrir(un compte courant)
- 비밀 번호 le code secret / le code d'identification
- 모두 tout
- 인출 un retrait
- 적다 écrire
- 저금하다 épargner
- 작성하다 remplir
- 확인하다 confirmer
- 지급신청서 une fiche de retrait
- 기다리다 attendre
- 돈 l'argent
- 그리고 et
- 쓰다 écrire
- 찾다(인출) retirer

Structures Grammaticales et Expressions

1. Le connecteur de conjonction '~(으)려고' exprime une intention du sujet, qui est précédé par le verbe '~하다'. Le connecteur qui finit par '~(는)데요' possède une signification qui équivaut aux conjonction de coordination 《et》, 《mais》 ou 《or》. '~(는)데요' est employé pour poser une question ou faire une demande, ou connaître une opinion.

통장을 만들려고 하는데요. :
Je voudrais ouvrir un compte courant à la banque.

한국어를 배우려고 하는데요. Je voudrais apprendre le coréen.
hangugeoreul baeuryeogo haneundeyo

도서관에서 책을 읽으려고 하는데요.
doseogwaneseo chaegeul ilgeuryeogo haneundeyo
Je voudrais lire un livre à la bibliothèque.

2. '~아/어 주세요' peut être utilisé comme un verbe principal ou comme un verbe auxiliaire. Lorsqu'il est employé en tant que verbe principal, il signifie 《donner》. Par contre, quand il est utilisé comme verbe auxiliaire, il renforce le verbe principal en signifiant 《Faites-le pour moi, s'il vous plaît》.

써 주세요. : Écrivez (- le pour moi), s'il vous plaît.

여권 번호를 써 주세요.
yeogwon beonhoreul sseo juseyo
Ecrivez votre numéro de passeport (pour moi), s'il vous plaît.

신청서를 작성해 주세요.
sincheongseoreul jakseonghae juseyo
Remplissez la fiche de demande (pour moi), s'il vous plaît.

비밀 번호를 적어 주세요.
bimil beonhoreul jeogeo juseyo
Ecrivez votre code secret (pour moi), s'il vous plaît.

잠시만 기다려 주세요. Attendez un instant(pour moi), s'il vous plaît.
jamsiman gidaryeo juseyo

③ Le marqueur thématique '~는' peut être utilisé non seulement pour le sujet mais aussi pour les phrases suivantes.

여기에는 무엇을 씁니까? : Qu'est-ce que je doit écrire ici ?

④ '~고' relie deux propositions en exprimant une simple coordination des événements ou une succession des événements.

도장을 주시고 비밀 번호를 적어 주세요. : Signez et écrivez votre code secret.

신청서를 작성하고 사인해 주세요.
sincheongseoreul jakseonghago sainhae juseyo
Remplissez la fiche de demande et signez, s'il vous plaît.

통장은 여기 있고 현금 카드는 여기 있습니다.
tongjang-eun yeogi itgo hyeongeumkadneun yeogi isseumnida
Voici, votre livret de banque et votre carte bancaire est là.

⑤ '~아/어 보세요', est utilisé comme verbe auxiliaire pour renforcer le verbe principal. Quand il est employé comme verbe principal, il signifie 《voir》. Mais, quand il est utilisé comme verbe auxiliaire, il signifie 《essayer de》.

확인해 보세요. : Essayez de le vérifier. (ou Vérifiez-le)

찾아 보세요. Essayez de le chercher.
chaja boseyo

가 보세요. Essayez d'y aller.
ga boseyo

기다려 보세요. Essayez de (l') attendre.
gidaryeo boseyo

Exercices

1 Complétez les dialogues suivants comme dans les exemples. (1)~(3)

(1)

Exemple
여기에는 무엇을 씁니까? (여권 번호) → 여권 번호를 써 주세요.
Qu'est-ce que j'écris ici? → Écrivez votre numéro de passeport, s'il vous plaît.

① 여기에는 무엇을 씁니까? (생년월일 la date de naissance)
→ ______________________

② 여기에는 무엇을 씁니까? (이름 le nom)
→ ______________________

③ 여기에는 무엇을 씁니까? (비밀 번호 le code secret)
→ ______________________

④ 여기에는 무엇을 씁니까? (현주소 l'adresse actuelle)
→ ______________________

(2)

Exemple
통장을 만들다 → 통장을 만들려고 하는데요.
ouvrir un compte à la banque → Je voudrais ouvrir un compte à la banque.

① 집에 가다 aller chez soi
→ ______________________

② 공원에서 놀다 jouer dans le parc
→ ______________________

③ 오늘 식당에서 밥을 먹다 manger dans un restaurant aujourd'hui
→ ______________________

④ 도서관에서 공부를 하다 travailler à la bibliothèque
→ ______________________

⑤ 방에서 책을 읽다 lire des livres dans sa chambre
→ ______________________

(3)

Exemple

신청서를 작성하다. → 신청서를 작성해 주세요.
Remplir la fiche de demande. Remplissez la fiche de demande (pour moi), s'il vous plaît.

① 여기에 쓰다. Ecrire ici.
→ ____________________

② 학교에 가다. Aller à l'école.
→ ____________________

③ 공책을 찾다. Chercher le cahier.
→ ____________________

④ 책을 읽다. Lire des livres.
→ ____________________

⑤ 창문을 열다. Ouvrir la fenêtre.
→ ____________________

2 Reliez les propositions suivantes entre elles pour former une phrase.

(1) 도장을 주세요. 비밀 번호를 적어 주세요.

(2) 수미는 학교에 갑니다. 헨리는 은행에 갑니다.

(3) 수미는 오렌지를 먹습니다. 헨리는 귤을 먹습니다.

3 Ecrivez 《Attendez un instant, s'il vous plaît》 en coréen.

Lecture

(1) 돈을 찾으려고 하는데요.
Je voudrais retirer de l'argent.

(2) 지급 청구서를 작성해 주세요.
Remplissez la fiche de retrait, s'il vous plaît.

(3) 비밀 번호, 도장, 주소, 여권이 필요합니다.
J'ai besoin de votre code secret, de votre signature, de votre adresse et de votre passeport.

(4) 수표와 현금을 확인해 보세요.
Vérifiez le chèque et l'argent liquide, s'il vous plaît.

(5) 신분증을 주세요.
Donnez moi votre pièce d'identité, s'il vous plaît.

제 15 과

Leçon 15

백화점에서 Dans un grand magasin

Phrases Principales

1. 운동화를 사려고 해요. Je voudrais acheter des chaussures de sport.
   undonghwareul saryeogo haeyo
2. 사이즈는 어떻게 되요? Quelle est votre pointure?
   saijeuneun eotteoke doeyo

Dialogues

Dialogue 1

안내원: 무슨 매장을 찾으십니까? Quel rayon vous cherchez?
museun maejang-eul chajeusimnikka

존 : 운동화를 사려고 해요.
undonghwareul saryeogo haeyo
Je voudrais acheter des chaussures de sport.

안내원: 운동화는 6층에 있습니다.
undonghwaneun yukcheung-e isseumnida
Les chaussures de sport sont au sixième étage.

존 : 엘리베이터는 어디 있습니까? Où est l'ascenseur?
ellibeiteoneun eodi itseumnikka

안내원: 엘리베이터는 저기에 있고, 에스컬레이터는 이쪽에 있습니다.
ellibeiteoneun jeogie itgo eskeolleiteoneun ijjoge isseumnida
L'ascenseur est là-bas et l'escalator se trouve par ici.

존 : 알겠습니다. Je vois.
algetseumnida

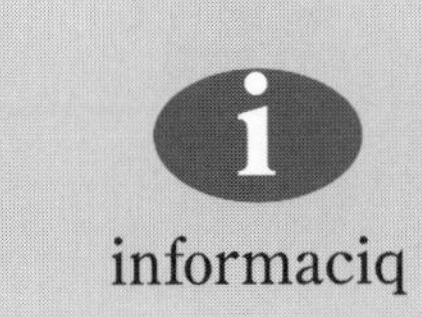

Dialogue 2

존 : 운동화를 사려고 해요.
undonghwareul saryeogo haeyo
Je voudrais acheter des chaussures de sport.

점원: 색깔은 파란색, 검은색, 흰색이 있어요.
saekkkareun paransaek, geomeunsaek huinsaegi isseoyo
Comme couleur, nous avons bleu, noir et blanc.

상표는 나이키, 프로스펙스, 아디다스가 있어요.
sangpyoneun naiki peurospekseu adidaseuga isseoyo
Comme marque, nous avons Nike, Prospecs et Adidas.

일반 상표도 저쪽에 있어요.
ilbansangpyodo jeojjoge isseoyo
Nous avons aussi les marques ordinaires là-bas.

존 : 흰색 나이키가 마음에 들어요.
huinsaek naikiga maeume deureoyo
La Nike en blanc me plaît.

그러나 일반 상표도 싸고 좋군요.
geureona ilbansangpyodo ssago jokunyo
Mais, les autres marques sont aussi de bonne qualité et de bon marché.

점원: 발 사이즈가 얼마입니까?
bal saijeuga eolmaimnikka
Quelle est votre pointure?

존 : 265mm예요. C'est 265mm.
ibaek-yuksibo mirimiteoyeyo

점원: 한번 신어 보세요.
hanbeon sineo boseyo
Essayez-les.

▪Vocabulaire et Phrases▪

- 찾다 chercher
- 엘리베이터 l'ascenseur
- 에스컬레이터 l'escalator
- 저기에 là-bas
- 검은색 noir
- 사려고 해요 vouloir acheter
- 백화점 le grand magasin
- 안내원 le personnel de l'accueil
- 일반 상표 les marques ordinaires
- 사이즈 la pointure
- 파란색 bleu
- 흰색 blanc
- 발 le pied
- 상표 la marque
- 마음에 들다 plaire à quelqu'un
- 신다 porter (pour les chaussures)
- 운동화 des chaussures de sport
- ~도 aussi
- 한번 une fois
- 사다 acheter
- 6층 le sixième étage
- 색깔 la couleur

Exercices de Vocabulaire

(Voyez la page 6 pour les noms de couleurs.)

Structures Grammaticales et Expressions

① Le connecteur '~(으)려고', exprime une intention du sujet pour le verbe '~하다', qui est précédé d'nom signifiant "quoi" en français.

운동화를 사려고 해요. : Je voudrais acheter des chaussures de sport.

운동화를 사려고 해요. Je voudrais acheter des chaussures de sport.
undonghwareul saryeogo haeyo

백화점에 가려고 해요. Je voudrais aller au grand magasin.
baekhwajeome garyeogo haeyo

② Le verbe '신어', est dérivé de '신다'. '~어' est le connecteur qui relie deux verbes entre eux, par exemple '신어 보세요', '보세요' est utilisé comme un verbe auxiliaire pour renforcer le verbe principal. Quand il est utilisé comme verbe prinicipal, il signifie 《voir》. Mais, quand il est utilisé comme un verbe auxiliaire, il signifie 《essayer de faire》.

신어 보세요. : Essayer de les porter.

한번 입어 보세요. Essayez de les porter une fois. (pour les vêtements)
hanbeon ibeo boseyo

한번 먹어 보세요. Essayez de goûter.
hanbeon meogeo boseyo

③ Le thème et le sujet peuvent coexister dans une même phrase comme dans '색깔은 흰색이 있어요'. Et le sujet peut construit avec les noms conjoints comme dans '파란색, 검은색, 흰색이 있어요'. Notons qu'en coréen, 'et' est facultatif pour la coordination des noms : '파란색, 검은색, (그리고) 흰색이 있어요'.

색깔은 파란색, 검은색, 흰색이 있어요.
: Comme couleur, il y a le bleu, le noir et le blanc.

동물은 호랑이, 원숭이, 곰이 있어요.
dongmureun horang-i wonsung-i gomi isseoyo
Comme animal, il y a le tigre, le singe et l'ours.

신발은 운동화, 구두, 샌들이 있어요.
sinbareun undonghwa gudu saendeuri isseoyo
Comme chaussure, il y a les chaussures de sport, les chaussures de ville et les sandales.

④ '~도', remplace le sujet ou le marqueur du thème en désignant "aussi".

일반 상표도 있어요. : Nous avons aussi les marques ordinaires.

빨간색도 있어요.
ppalgansaekdo isseoyo
Nous en avons aussi en rouge.

연필도 있어요.
yeonpildo isseoyo
Nous avons aussi des crayons.

⑤ La terminaison honorifique '~군요', exprime une nouvelle constatation du locuteur sur un fait ou un événement. '고' relie deux prédicats '싸다' et '좋다'.

일반 상표도 싸고 좋군요.
: Les marques ordinaires sont aussi de bonne qualité et de bon marché.

나이키도 튼튼하고 좋군요.
naikido tteuntteunhago jokunyo
Nike aussi, c'est solide et c'est bien.

흰색도 깨끗하고 예쁘군요.
huinsaekdo kkaekkeutago yeppeugunyo
Le blanc aussi, c'est clair et joli.

1 Complétez les dialogues comme dans les exemples suivants. (1)~(3)

(1)

Exemple
어느 매장을 찾으세요? (와이셔츠를 사다. Acheter une chemise.)
Quel rayon vous cherchez?
→ 와이셔츠를 사려고 해요. Je voudrais acheter une chemise.

① 어디를 찾으세요? (구두를 사다. Acheter une paire de chaussure.)
→ ______________________________

② 어디를 찾으세요? (양복을 사다. Acheter un costume.)
→ ______________________________

③ 어디를 찾으세요? (색동이불을 사다. Acheter une couette multicolore.)
→ ______________________________

④ 어디를 찾으세요? (가전제품을 사다. Acheter des appareils ménagers.)
→ ______________________________

(2)

Exemple
식료품 매장은 어디입니까? (지하 1층 Premier étage au sous-sol.)
Où est le rayon alimentaire?
→ 식료품 매장은 지하 1층입니다.
Le rayon alimentaire se trouve au premier étage au sous-sol.

① 의류 매장(vêtement)은 어디입니까? (5층)
→ ______________________________

② 신사복 매장(vêtement pour homme)은 어디입니까? (3층)
→ ______________________________

③ 전자제품 매장(appareils électroniques)은 어디입니까? (7층)
→ ______________________________

(3)

Exemple
얼마예요? (14,500원) Combien coûte-t-il ?
→ 만 사천오백 원입니다. C'est 14,500 wons.

(1) 이 공책(cahier)은 얼마예요? (430원)
→ ______________________________

(2) 이 주스(jus)는 얼마예요? (3,200원)

→ ________________________

(3) 그 과자(gâteau)는 얼마예요? (2,800원)

→ ________________________

2 Reliez les phrases suivantes.

(1) 엘리베이터는 저기에 있습니다.
L'acenseur est là-bas.

에스컬레이터는 이쪽에 있습니다.
L'escalator est par ici.

(2) 운동화는 6층에 있어요.
Les chaussures de sport sont au sixième étage.

옷은 4층에 있어요.
Les vêtements sont au quatrième étage.

(3) 프로스펙스는 이쪽에 있어요.
Les Prospecs sont par ici.

일반 상표는 저쪽에 있어요.
Les marques ordinaires sont là-bas.

3 Changez les phrases suivantes avec '~도'.

(1) 일반 상표가 싸고 좋아요.
Les marques ordinaires sont aussi de bonne qualité et de bon marché.

→ ________________________

(2) 검은색이 좋아요. Le noir est bien.

→ ________________________

(3) 사과가 좋아요. Les pommes sont belles.

→ ________________________

(4) 바지가 좋아요. Les pantalons sont bien.

→ ________________________

(5) 한국어가 좋아요. La langue coréenne est belle.

→ ________________________

Lecture

(1) 셔츠를 사려고 해요. Je voudrais acheter une chemise.

(2) 운동화는 4층에 있어요. Les chaussures de sport sont au quatrième étage.

(3) 목 사이즈가 얼마입니까? Quelle est votre taille de cou?

(4) 검정색 프로스펙스 운동화가 마음에 들어요.
Les chaussures de sport noires de Prospecs me plaisent.

(5) 한번 신어 보세요. Esseyez-les.

제 16 과

Leçon 16

편지 쓰기 Écrire une lettre

Phrases Principales

1. 어떻게 지내셨습니까? — Comment allez-vous?
   eotteoke jinaesyeotseumnikka
2. 연락을 기다리겠습니다. — J'attends votre réponse.
   yeollageul gidarigetseumnida

알 림
Annonce

사무엘 로이그 씨에게 (Cher Monsieur Samuel Roig,)
samuel roigeu ssiege

안녕하세요? 어떻게 지내셨습니까? 태평양 대학교 한국어반 졸업생과 재학생의 친목 모임이 있습니다. 부디 오셔서 동문들과 의미 있는 시간을 가지시기 바랍니다.
annyeonghaseyo eotteoke jinaesyeotseumnikka taepyeongyang daehakgyo hankugeoban joreopsaenggwa jaehaksaeng-ui chinmok moimi itseumnida budi osyeoseo dongmundeulgwa uimiinneun siganeul gajisigi baramnida
(Bonjour? Comment allez-vous? Il y aura une réunion amicale pour les anciens élèves et les étudiants des cours de coréen de l'Université Taepyongyang. Nous vous prions d'y assister et de passer un bon moment avec nous.)

일 시 : 5월 5일 (la date)
장 소 : 종로 2가 미리내 레스토랑 (le lieu)
시 간 : 12:00 PM (l'heure)
준비물 : 식사비 (le repas à votre charge)

만나 뵙기를 바랍니다. 안녕히 계십시오.
manna boepgireul baramnida annyeonghi gyesipsio
(Je souhaite bien de vous voir à ce jour. Cordialement à vous.)

2003년 4월 20일(le 20 avril, 2003)
존 알렌 올림(John Allen)
한국어반 동문회장(Président de l'association des anciens élèves des cours de coréen)

초 대 장
Carte d'Invitation

유미 씨에게 (Chère Yumi,)
yumi ssiege

어떻게 지내셨어요?
이번 3월 17일에 존의 생일 파티가 있습니다. 하지만 존에게는 비밀이에요. 깜짝파티를 해 주고 싶거든요. 시간이 나면 저의 집으로 5시까지 오세요. 낸시와 가드윈 그리고 차오민도 올 것입니다. 존에게는 7시에 잠시 들르라고 부탁했어요.

eotteoke jinaesyeosseoyo
ibeon samwol sipchilile jonui saengil patiga itseumnida hajiman jonegeneun bimirieyo kkamjjak patireul haejugo sipgeodeunyo sigani namyeon jeoui jibeuro daseosikkaji oseyo naensiwa gadeuwin geurigo chaomindo ol geosimnida jonegeneun ilgopsie jamsi deulreurago butakhaesseoyo

(Comment allez-vous?

Il y aura une fête d'anniversaire pour John le 17 Mars. Mais gardez cela pour vous. Nous voudrions lui faire une surprise. Si vous êtes libre ce jour-là, venez chez moi à 17 heures. Nancy, Godwin et Chaomin vont venir. J'ai dit à John de passer un moment chez moi à 19 heures du soir.)

회답을 기다릴게요. (J'attends votre réponse.)
hoedabeul gidarilgeyo

안녕히 계세요. (Bien à vous.)
annyeonghi geseyo

2003년 3월 5일(le 5 Mars 2003)
브라이언 드림(Vrajon)

▪Vocabulaire et Phrases▪

- 알림 l'annonce
- 졸업생 l'ancien élève
- 가지다 avoir, passer
- 깜짝파티 la fête surprise
- 오세요 venez s'il vous plaît
- 한국어반 classe de coréen
- 바라다 souhaiter
- 초대장 la carte d'invitation
- 비밀 le secret
- 올 것이다 venir(futur)
- ~고 싶다 vouloir faire
- 그 동안 pendant
- 친목 faire des amis
- 준비물 les préparatifs
- 잘 bien
- 기다리다 attendre
- 재학생 étudiants inscrits
- 장소 le lieu
- 연락 la réponse
- 부탁하다 demander
- 들르다 passer/ visiter
- 잠시 pour un moment
- 지내다 aller
- 부디 s'il vous plaît
- 집 la maison
- 오다 venir
- ~씨에게 Cher~/à
- 이번 cette fois
- 그날 ce jour-là
- 하지만 mais
- ~까지 jusqu'à
- 의미있는 significatif
- 모임 la réunion
- 생일파티 la fête d'anniversaire
- 시간이 나다 avoir du temps/ être libre
- 동문 les anciens élèves d'une même école
- 해 주다 rendre service/donner
- ~동문회 l'association d'anciens élèves

Exercices de Vocabulaire

그저께	Avant-hier
어제	Hier
오늘	Aujourd'hui

Structures Grammaticales et Expressions

1 Ecrivez le nom du destinataire et attachez '~씨/~님에께' avant de commencer le texte principal d'une lettre. '~에게' peut être remplacé par sa forme honorifique '~께'. Pour les enfants, attachez seulement '~에게'.

사무엘 로이그 씨에게	Cher Monsieur Samuel Roig
김유리 씨께	Chère Mademoiselle **김유리**
이선미 선생님께	Chère Madame la professeur **이선미**
지미에게	Cher **지미**(enfant)

② Commencez par les salutations comme dans l'encadré ci-dessous.

> **안녕하세요? 어떻게 지내셨습니까?**
> : Bonjour? Comment allez-vous?

③ Terminez votre lettres par des formules de politesse comme dans l'encadré ci-contre.

> **회답을 기다릴게요. 안녕히 계십시오. / 안녕히 계세요.**
> : J'attendrai votre réponse. Cordialement à vous.
> **만나 뵙기를 바랍니다. 안녕히 계십시오.**
> : Je souhaite de vous voir. Bien à vous.

④ Contrairement à la présentation de la lettre française, il faut écrire la date à la fin de la lettre avec votre signature. Après avoir signé, on attache '드림' ou '올림'. '올림' est employé lorsque l'on écrit à la personne qui est plus âgée ou socialement supérieure, alors que '드림' est utilisé pour la personne qui est proche ou familière. Si on écrit à des amis ou à des personnes plus jeunes, cette formalité n'est pas nécessaire. Dans ce cas, '씀' peut être utilisé.

2000년 1월 28일 존 알렌 올림	2000년 2월 3일 사무엘 로이그 드림	2000년 3월 2일 김유리 씀

서울특별시 은평구 대조동 1번지
태평양 대학교 한국어반
이영주 올림
122-030

marka

경기도 안양시 만안구 박달 2동
사무엘 로이그 귀하
430-032

Exercices

1 Avant de prendre des nouvelles de quelqu'un, qu'est-ce qu'il est nécessaire de faire dans une lettre? Répondez en fonction de la personne à qui vous vous adressez.

(1) 이수미 → ________

(2) 존 알렌 → ________

(3) 김유리 → ________

(4) 이영주 선생님 → ________

(5) 박지미(enfant) → ________

2 Écrivez les formules d'appel, nécessaires pour commencer une lettre.

→ ______________________________

3 Écrivez les formules de politesse pour terminer une lettre.

→ ______________________________

4 Écrivez la date et la signature en respectant les formalités d'usage pour une lettre avec les dates et les noms donnés.

(1) 1999년 1월 5일, 김영자 (Elle écrit à ses parents.)

(2) 1999년 2월 21일, 이인수 (Il écrit à son professeur.)

(3) 1999년 3월 13일, 박혜진 (Elle écrit à ses amis.)

5 Écrivez une lettre afin d'informer les étudiants de la classe de coréen d'un pique-nique à Everland. Ils sont censés se rencontrer à 11h00 du matin le 5 mai, à l'entrée d'Everland. Respectez la formule de lettre.

6 Écrivez une lettre informelle à votre ami coréen.

Exercices

7 Mettez les adresses du destinataire et de l'expéditeur sur l'enveloppe en respectant la présentation une lettre. Le statut social de l'expéditeur est supérieur à celui du destinataire.

Expéditeur Nom : 김은희
Adresse : 서울특별시 광진구 자양동 211번지 은마아파트 201동 502호
Code postal : 148-204

Destinataire Nom : 박진우
Adresse : 대구광역시 남구 대명동 123번지
Code postal : 192-143

Lecture

(1) 어떻게 지내셨습니까?
Comment allez-vous?

(2) 다섯 시까지 오세요.
Venez à 5h, s'il vous plaît.

(3) 6월 21일 혜영이의 결혼식이 있습니다.
Le mariage de Hyeyoung aura lieu le 21 juin.

(4) 연락을 기다리겠습니다.
J'attendrai votre réponse.

(5) 만날 수 있기를 바랍니다.
Je souhaite de vous voir.

제 17 과
Leçon 17

어디가 아프십니까? Où avez-vous mal?

Phrases Principales

1. 등이 아파서 움직일 수가 없습니다. deung-i apaseo umjigil suga eopsseumnida
   Je ne peux pas bouger à cause d'un mal de dos.
2. 금방 나아지겠습니까? Est-ce que je vais bientôt aller mieux?
   geumbang naajigetseumnikka

Dialogues

Dialogue 1

119대원: 119 구조대입니다. Ce sont les secours d'urgence le 119.
il-il-gu gujodaeimnida

푸 휘: 계단에서 넘어졌는데 움직일 수가 없습니다.
gyedaneseo neomeojyeotneunde umjigil suga eopseumnida
Je suis tombé dans l'escalier et je ne peux pas bouger.

도와 주세요. Aidez-moi, s'il vous plaît.
dowajuseyo

119대원: 주소와 전화 번호를 천천히 말씀해 주십시오.
jusowa jeonhwa beonhoreul cheoncheonhi malseumhae jusipsio
Dites-moi lentement votre adresse et votre numéro de téléphone.

푸 휘: 주소는 강남구 신사동 11번지이고,
jusoneun gangnam-gu sinsa-dong sibilbeonjiigo
Mon adresse est le 11 Sinsa-dong, Kangnam-ku,

전화 번호는 511-2936입니다.
jeonhwa beonhoneun o-il-il-i-gu-sam-yukimnida
et mon numéro de téléphone est le 511-2936.

119대원: 예, 알겠습니다. 곧 가겠습니다.
ye algesstseumnida got gagetseumnida
Oui, je vois. On arrive tout de suite.

Dialogue 2 (병원에서) (à l'hôpital)
byeongwoneseo

의 사: 어디가 아프십니까? Où avez-vous mal?
eodiga apeusimnikka

푸 휘: 등이 아파서 움직일 수가 없습니다.
deungi apaseo umjigil suga eopsseumnida
J'ai mal au dos et je ne peux pas bouger.

의 사: 찜질약을 매일 등에 붙이십시오.
jjimjilyageul maeil deunge buchisipsio
Appliquez chaque jour des bandes médicamenteuses sur votre dos.
진통제는 식사 후에 드세요.
jintongjeneun siksa hue deuseyo
Prenez le calmant après chaque repas.

푸 휘: 금방 나아지겠습니까? Je vais bientôt aller mieux?
geumbang naajigetseumnikka

의 사: 3, 4일이면 나아질 거라고 생각합니다.
sam, sailimyeon naajil georago saenggakhamnida
Je pense que ça ira mieux dans trois ou quatre jours.
하지만, 심한 운동은 하지 마십시오.
hajiman, simhan undong-eun haji masipsio
Mais ne faites pas de sport violent.

푸 휘: 예, 감사합니다. Entendu! Je vous remercie.
ye, gamsahamnida

▪Vocabulaire et Phrases▪

- 붙이다 appliquer
- 식사 후 après le repas
- 나아지다 aller mieux
- 3, 4일이면 dans 3 ou 4 jours
- 말(말씀)하다 dire
- 드세요 manger/prendre
- 아프다 avoir mal
- 움직이다 bouger
- 돕다 aider
- 운동 l'exercice/ le sport
- 천천히 lentement
- 어디 où
- 진찰 la consultation
- 등 le dos
- 매일 chaque jour
- 하지만 mais
- 하다 faire
- 나아질 거라고 aller mieux
- 심한 extrême/violent
- 찜질약 la bande medicamenteuse
- 넘어지다 tomber
- 생각하다 penser
- 마십시오 ne pas faire
- 주소 l'adresse
- ~ 후 après
- 가겠습니다 J'arrive
- 계단 l'escalier
- 금방(곧) tout de suite
- 진통제 le calmant
- 도와 주세요 Aidez-moi, s'il vous plaît. (Au secours)
- 119구조대 les secours d'urgence le 119
- 말씀해 주세요 dites-moi, s'il vous plaît
- 전화 번호 le numéro de téléphone
- ~ 수 없다 ne pas pouvoir

Exercices de Vocabulaire

Symptôme de Maladie

목이 아프다 mogi apeuda
avoir mal à la gorge

머리가 아프다 meoriga apeuda
avoir mal à la tête

열이 있다 yeori itda
avoir de la fièvre

이가 아프다 iga apeuda
avoir mal aux dents

피부가 가렵다 pibuga garyeopda
avoir des démangeaisons(à la peau)

콧물이 나다 konmuri nada
avoir le nez qui coule

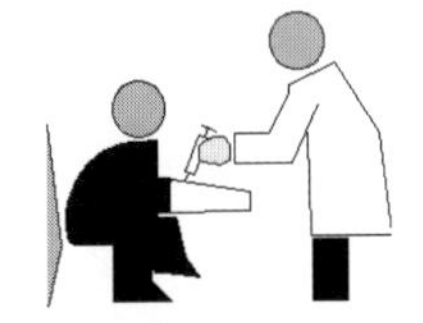

주사를 놓다 jusareul nota
faire une piqûre

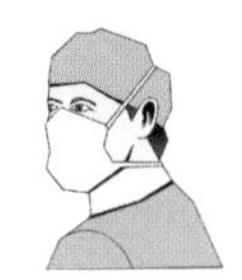

수술하다 susulhada
opérer

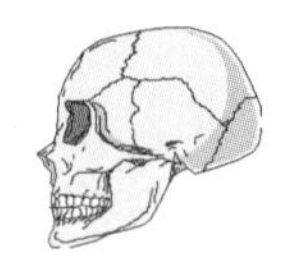

엑스레이를 찍다 eks-reireul jjikda
faire une radio

Structures Grammaticales et Expressions

1 Le connecteur de cause '~서' exprime la cause du premier verbe. Et '~ 수(가) 없습니다' signifie "ne pas pouvoir faire".

> **등이 아파서 움직일 수가 없습니다.**
> : Je ne peux pas bouger parce que j'ai mal au dos.

머리가 아파서 걸어갈 수가 없습니다.
meoriga apaseo georeogal suga eopsseumnida
Je ne peux pas marcher parce que j'ai mal à la tête.

목이 아파서 밥을 먹을 수가 없습니다.
mogi apaseo babeul meogeul suga eopsseumnida
Je ne peux pas manger parce que j'ai mal à la gorge.

콧물이 나서 공부할 수가 없습니다.
konmuri naseo gongbuhal suga eopsseumnida
Je ne peux pas travailler parce que j'ai le nez qui coule.

늦게 자서 일어날 수가 없습니다.
neutge jaseo ireonal suga eopsseumnida
Je ne peux pas me lever parce que je me suis couché tard.

② La construction '~(으)ㄹ거라고 생각합니다' exprime la probabilité d'un évènement.

3, 4 일이면 나아질 거라고 생각합니다.
: Je pense que ça ira mieux dans trois ou quatre jours.

그는 한국어를 공부할 거라고 생각합니다.
geuneun hangugeoreul gongbuhal georago saenggakhamnida
Je pense qu'il va apprendre le coréen.

그는 내일 결석할 거라고 생각합니다.
geuneun naeil gyeolseokal georago saenggakhamnida
Je pense qu'il va être absent demain.

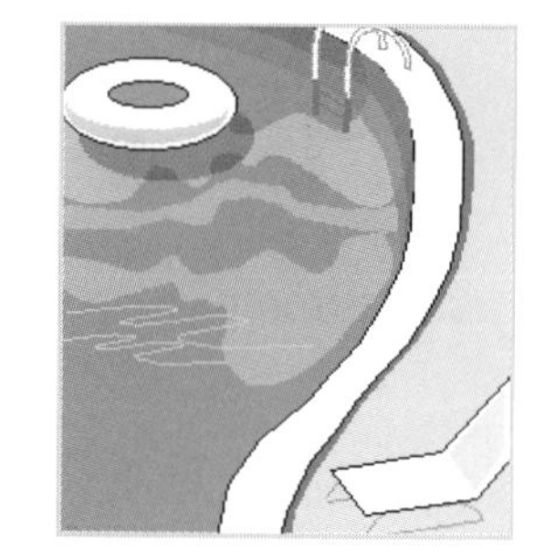

그는 이번 주까지 올 거라고 생각합니다.
geuneun ibeon jukkaji ol georago saenggakhamnida
Je pense qu'il vient cette semaine.

그는 수영장에서 수영할 거라고 생각합니다.
geuneun suyeongjang-eseo suyeonghal georago saenggakhamnida
Je pense qu'il nage à la piscine.

그는 곧 나아질 거라고 생각합니다.
geuneun got naajil georago saenggakhamnida
Je pense qu'il va aller mieux bientôt.

③ La construction '~지 마십시오' est employée pour mettre le verbe à l'impératif à la forme négative. Le marqueur de la fonction de sujet '~은/는' dans '술은 마시지 마십시오' peut être remplacé par le marqueur du complément d'objet '~을/를'.

심한 운동은 하지 마십시오.
: Ne faites pas de sport violent.

술은 마시지 마십시오.
sureun masiji masipsio
Ne buvez pas d'alcool.

결석은 하지 마십시오.
gyeolseogeun haji masipsio
Ne manquez pas la classe.

담배는 피우지 마십시오.
dambaeneun piuji masipsio
Ne fumez pas.

④ '~고(et)' est employé dans les cas suivants pour plus de deux phrases.

저는 나이지리아 사람이고, 친구는 한국 사람입니다.
jeoneun naijiria saramigo chin-guneun hanguk saramimnida
Je suis Nigérien et mon ami est Coréen.

저는 도서관에 가고, 친구는 식당에 갑니다.
jeoneun doseogwane gago chin-guneun sikdang-e gamnida
Je vais à la bibliothèque et mon ami va au restaurant.

⑤ Le marqueur temporel '~겠' est utilisé pour le futur.

금방 나아지겠습니까?
geumbang naajigetseumnikka
Je vais bientôt aller mieux?

내일 전화하겠습니다.
naeil jeonhwahagetseumnida
Je vais vous téléphoner demain.

⑥ Le connecteur '~는데', relie deux phrases de manière à ce que l'événement se passe dans la première phrase mais continue toujours dans la deuxième.

넘어졌는데 움직일 수가 없습니다.
neomeojyeonneunde umjigil suga eopsseumnida
Je suis tombé et je ne peux pas bouger.

공부하는데 조용히 하십시오.
gongbuhaneunde joyonghi hasipsio
Soyez silencieux parce que je travaillle.

Exercices

1 Transformez les phrases comme dans l'exemple. (1)~(2)

(1)

Exemple
허리가 아프다. → 허리가 아파서 공부할 수가 없습니다.

① 열이 있다. → ____________________

② 목이 아프다. → ____________

③ 기침이 나다. → ____________

④ 콧물이 나다. → ____________

⑤ 머리가 아프다. → ____________

(2)

xemple

움직이다. → 움직일 수가 없습니다.

① 밥을 먹다. → ________

② 잠을 자다. → ________

③ 운동을 하다. → ________

④ 일찍 일어나다. → ________

⑤ 술을 마시다. → ________

2 Répondez aux questions suivantes et discutez-en.

(1) 금방 나아지겠습니까? Je vais bientôt aller mieux?

(2) 언제, 왜 갔었습니까? Quand et pourquoi vous y êtes allé?

(3) 어디가 아팠습니까? Où vous aviez mal?

(4) 의사 선생님은 무슨 말씀을 하셨습니까?
Qu'est-ce que le médecin vous a dit?

Lecture

(1) 계단에서 넘어져 119 구조대에 전화를 걸었습니다. J'ai appelé les secours d'urgence le 119 parce que je suis tombé dans l'escalier.

(2) 주소와 전화 번호를 말씀해 주세요.
Dites-moi votre adresse et votre numéro de téléphone.

(3) 다리가 아파서 움직일 수가 없습니다.
Je ne peux pas bouger parce que j'ai mal à la jambe.

(4) 의사가 진통제를 주었습니다.
Le médecin m'a prescrit un calmant.

(5) 3, 4일이면 나아질 거라고 했습니다.
Le médecin m'a dit que je vais aller mieux dans trois ou quatre jours.

제 18 과
Leçon 18

무슨 운동을 좋아하십니까?
Quel sport vous aimez?

Phrases Principales

1. 테니스는 좋아하지 않지만, 수영은 좋아합니다.
   tenisneun joahaji anchiman suyeong-eun joahamnida
   Je n'aime pas le tennis, mais j'aime la natation.
2. 무슨 음료수를 좋아하십니까? Quelle boisson vous aimez?
   museun eumryosureul joahasimnikka

Dialogues

Dialogue 1

푸휘: 어제는 무엇을 하셨습니까?
eojeneun mueoseul hasyeotseumnikka
Qu'est-ce que vous avez fait hier?

영주: 운동과 쇼핑을 했습니다.
undonggwa syoping-eul haetseumnida
J'ai fait du sport et du shopping.

푸휘: 무슨 운동을 좋아하십니까?
museun undong-eul joahasimnikka
Quel sport vous aimez?

영주: 테니스를 좋아합니다. J'aime le tennis.
teniseureul joahamnida

푸휘 씨는 어떻습니까? Et vous, Monsieur Puhwi?
puhwi ssineun eotteoseumnikka

푸휘: 저는 테니스는 좋아하지 않지만, 수영은 좋아합니다.
jeoneun tenisneun joahaji anchiman suyeong-eun joahamnida
Je n'aime pas le tennis, mais j'aime la natation.

영주: 저도 수영을 좋아하니까, 이번 주말에 수영하러 같이 가지 않겠습니까?
jeodo suyeong-eul joahanikka ibeon jumale suyeonghareo gachi gaji anketseumnikka
J'aime aussi la natation, donc ne voulez-vous pas faire de la natation avec moi ce week-end?

푸휘: 예, 좋습니다. D'accord.
ye jossumnida

Dialogue 2 (수영장에서) (à la piscine)
suyeongjang-eseo

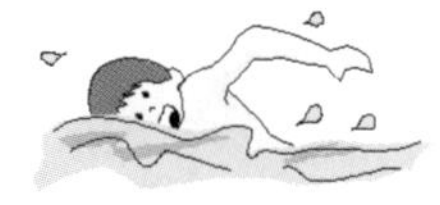

영주: 푸휘 씨는 정말로 수영을 잘 하시는군요.
puhwi ssineun jeongmallo suyeong-eul jal hasineun-gunyo
Monsieur Puhwi, vous nagez vraiment bien.

이제 음료수를 마시러 가지 않겠습니까?
ije eumryosureul masireo gaji anketseumnikka
Maintenant, ne voulez-vous pas aller boire un verre?

푸휘: 그렇게 합시다. D'accord. On y va!
geureoke hapsida

무슨 음료를 좋아합니까? Quelle boisson vous aimez?
museun eumryoreul joahamnikka

영주: 오렌지 주스, 사이다, 콜라는 좋아합니다만, 커피는 좋아하지 않습니다.
orenji jus saida kollaneun joahamnidaman keopineun joahaji ansseumnida
J'aime le jus d'orange, le soda, le coca, mais je n'aime pas le café.

푸휘: 저도 커피는 싫어합니다. Moi non plus.
jeodo keopineun sireohamnida

영주: 저기에 자판기가 있습니다.
jeogie japangiga itseumnida
Il y a un distributeur automatique là-bas.

Vocabulaire et Phrases

- 어제 hier
- 무슨 quel
- 테니스 le tennis
- 저 Je
- 정말로 vraiment
- 음료수 la boisson
- 사이다 le soda
- 저기에 là-bas
- 좋습니다 d'accord
- 자판기 le distributeur automatique
- 좋아하지 않지만 je ne l'aime pas, mais
- 수영하러 nager/ faire de la natation
- 싫어하다 ne pas aimer/détester
- 가지 않겠습니까? ne voulez-vous pas aller à ~?
- 쇼핑 le shopping
- 좋아하다 aimer
- 않다 ne pas
- 이번에 cette fois
- 잘 bien
- 마시다 boire
- 콜라 le coca
- 커피 le café
- 무엇을 quoi
- 어떻습니까? comment ça va?
- 수영 la natation
- 주말 le week-end
- 같이 ensemble
- 이제 maintenant
- 그렇게 comme ça
- 오렌지 주스 le jus d'orange
- 좋아합니다만 je l'aime, mais
- 마실 것 quelque chose à boire
- 있다 il y a

Exercices de Vocabulaire

Sport

농구를 하다
nong-gureul hada
jouer au basket

축구를 하다
chuk-gureul hada
jouer au foot

야구를 하다
yagureul hada
jouer au baseball

테니스를 치다
teniseureul chida
jouer au tennis

골프를 치다
golpeureul chida
jouer au golf

스키를 타다
skireul tada
faire du ski

수영을 하다
suyeong-eul hada
nager

태권도를 하다
taegwondoreul hada
pratiquer le Taegwondo

Structures Grammaticales et Expressions

1 Pour demander ce que votre interlocuteur aime, utilisez le mot interrogatif '무슨'. Notons que '무슨' est un adjectif , alors que '무엇' est un nom qui exprime une catégorie fonctionnelle.

무슨 운동을 좋아하십니까? Quel sport vous aimez?	**무엇을 좋아하십니까?** Qu'est-ce que vous aimez?

무슨 요리를 좋아하십니까?
museun yorireul joahasimnikka
Quel plat vous aimez?

무슨 음악을 좋아하십니까?
museun eumageul joahasimnikka
Quelle musique vous aimez?

무슨 색을 좋아하십니까?
museun saegeul joahasimnikka
Quelle couleur vous aimez?

무슨 과일을 좋아하십니까?
museun gwaireul joahasimnikka
Quel fruit vous aimez?

2 Quand vous voulez exprimer ce que vous aimez, utilisez l'expression '~을/를 좋아합니다'.

수영을 좋아합니다. : J'aime la natation.

야구하는 것을 좋아합니다.
yaguhaneun geoseul joahamnida
J'aime faire du baseball.

태권도하는 것을 좋아합니다.
taegwondohaneun geoseul joahamnida
J'aime pratiquer le Taegwondo.

스키 타는 것을 좋아합니다.
ski taneun geoseul joahamnida
J'aime faire du ski.

테니스 치는 것을 좋아합니다.
teniseu chineun geoseul joahamnida
J'aime jouer au tennis.

탁구 치는 것을 좋아합니다. J'aime jouer au ping-pong.
takgu chineun geoseul joahamnida

③ '~지만', signifie 《bien que》 ou 《mais》, il est suffixé au verbe de la première phrase. Sa forme négative est '~지 않지만'.

수영은 좋아하지만, : J'aime la natation, mais ~
수영은 좋아하지 않지만, : Bien que je n'aime pas la natation, ~

수영은 좋아하지 않지만, 테니스는 좋아합니다.
suyeong-eun joahaji anchiman teniseuneun joahamnida
Je n'aime pas la natation, mais j'aime le tennis.

영화는 좋아하지만, 음악은 좋아하지 않습니다.
yeonghwaneun joahajiman eumageun joahaji ansseumnida
J'aime le cinéma, mais je n'aime pas la musique.

④ '~지 않겠습니까?' exprime l'idée de "vous ne voulez pas"?

주말에 테니스 치러 가지 않겠습니까?
: Ne voulez-vous pas jouer au tennis avec moi ce week-end?

골프 치러 가지 않겠습니까?
golpeuchireo gaji anketseumnikka
Ne voulez-vous pas aller jouer au golf?

영화 보러 가지 않겠습니까?
yeonghwa boreo gaji anketseumnikka
Ne voulez-vous pas aller au cinéma?

식사하러 가지 않겠습니까?
siksahareo gaji anketseumnikka
Ne voulez-vous pas aller au restaurant?

⑤ Attaché au radical du verbe, le connecteur '~(으)러 가다' indique le 《but》 ou l'《objectif》 d'une action.

수영하러 갑니다. : J'y vais pour nager.
주스를 마시러 갑니다. : J'y vais pour boire du jus d'orange.

레스토랑에 점심을 먹으러 갑니다. Je vais au restaurant pour déjeuner.
restorang-e jeomsimeul meogeureo gamnida

도서관에 공부를 하러 갑니다. Je vais à la bibliothèque pour travailler.
doseogwane gongbureul hareo gamnida

⑥ '~(으)니까' exprime l'idée que l'action mentionnée dans la première phrase est la cause de la deuxième.

수영을 좋아하니까, 같이 가겠습니다.
: Puisque j'aime la natation, j'y vais avec vous.

한국에서 살았으니까, 한국말을 잘합니다.
hangugeseo sarasseunikka hangukmareul jalhamnida
Puisque j'ai habité en Corée, je parle bien coréen.

Exercices

1 Traduisez en coréen les mots suivants comme ci-dessous.

Exemple
L'école (학교)

(1) aimer (　　)　(2) la natation (　　)　(3) détester (　　)
(4) faire bien (　　)　(5) le sport (　　)　(6) le tennis (　　)

2 Complétez les phrases comme dans l'exemple suivant.

Exemple
테니스, 수영 → 테니스는 좋아하지 않지만, 수영은 좋아합니다.

(1) 커피, 주스 → ______________________

(2) 사과, 바나나 → ____________________

(3) 야구, 농구 → ____________________

(4) 쓰기, 읽기 → ____________________

(5) 라면, 자장면 → ____________________

3 Formulez des suggestions à partir des phrases proposées comme dans l'exemple suivant.

Exemple
골프 치다. → 골프 치러 갑시다.

(1) 밥을 먹다. → ____________________

(2) 영화 보다. → ____________________

(3) 커피를 마시다. → ____________________

(4) 수영을 하다. → ____________________

(5) 한국어를 공부하다. → ____________________

4 Répondez aux questions suivantes et discutez en.

(1) 무슨 운동을 좋아하십니까? Quel sport vous aimez?

(2) 좋아하는 운동은 무엇입니까? Quel sport vous préférez?

(3) 무슨 운동을 잘하십니까? Quel sport vous jouez bien?

(4) 무슨 음료를 좋아하십니까? Quelle boisson vous aimez boire?

Lecture

(1) 어제는 운동과 쇼핑을 했습니다.
Hier j'ai fait du sport et du shopping.

(2) 저는 농구를 좋아하지만, 테니스는 좋아하지 않습니다.
J'aime le basket, mais je n'aime pas le tennis.

(3) 무슨 음료수를 드시겠습니까?
Quelle boisson vous allez prendre?

(4) 영주 씨와 저는 커피를 싫어합니다.
Mlle. Youngjoo et moi n'aimons pas le café.

(5) 주말에 탁구장에 같이 가지 않겠습니까?
Ne voulez-vous pas aller jouer ensemble au ping-pong ce week-end?

제 19 과
Leçon 19

세탁물을 맡기려고 합니다.
Je voudrais remettre ces linges.

Phrases Principales

1. 재킷을 세탁하려고 합니다.
   jaekiseul setakharyeogo hamnida
   Je voudrais faire un nettoyage à sec de cette veste.
2. 금요일 오후까지 배달해 드리겠습니다. Je vais vous la livrer vendredi après-midi.
   geumyoil ohukkaji baedalhae deurigetseumnida

Dialogues

Dialogue 1

영주: 푸휘 씨, 재킷이 아주 멋있군요.
puhwi ssi jaekisi aju meoditgunyo
Monsieur Puhwi, elle est très chic votre veste.

푸휘: 어제 남대문 시장에서 샀습니다.
eoje namdaemun sijang-eseo satseumnida
Je l'ai achetée hier au marché Namdaemun

영주: 그런데, 재킷에 무엇이 묻었군요.
geureonde jaekise mueosi mudeotgunyo
Mais, il y a une tâche.

푸휘: 이런! 사자마자 더러워졌군요. 어떻게 하면 좋겠습니까?
ireon sajamaja deoreowojyeotgunyo otteoke hamyeon joketseumnikka
Oh, non, je me suis sali aussitôt que je l'ai achetée.
Comment je vais faire?

영주: 옆 건물 2층에 세탁소가 있습니다. 같이 갈까요?
yeop geonmul icheung-e setaksoga isseumnida gachi galkkayo
Il y a une blanchisserie dans le bâtiment d'à côté.
On y va ensemble?

푸휘: 아니오, 괜찮습니다. Non, merci.
anio gwaenchanseumnida
혼자 갈 수 있습니다. Je peux y aller seul.
honja gal su itseumnida

Dialogue 2 (세탁소에서) (à la blanchisserie)
setaksoeseo

푸휘: 실례합니다. 이 재킷을 세탁하려고 합니다.
sillyehamnida i jaekiseul setakharyeogo hamnida
Excusez-moi. Je voudrais faire un nettoyage à sec de cette veste.

세탁소 주인: 이런! 많이 더러워졌군요.
ireon mani deoreowojyeotgunyo
Oh, non, elle est très sale.
무엇이 묻었습니까?
mueosi mudeotseumnikka
Quelle est cette tâche?

푸휘: 모르겠어요. 어제 샀는데…
moreugesseoyo eoje sanneunde...
Je ne sais pas. Je l'ai achetée hier...
세탁비는 얼마입니까?
setakbineun eolmaimnikka
Combien coûte un nettoyage à sec?

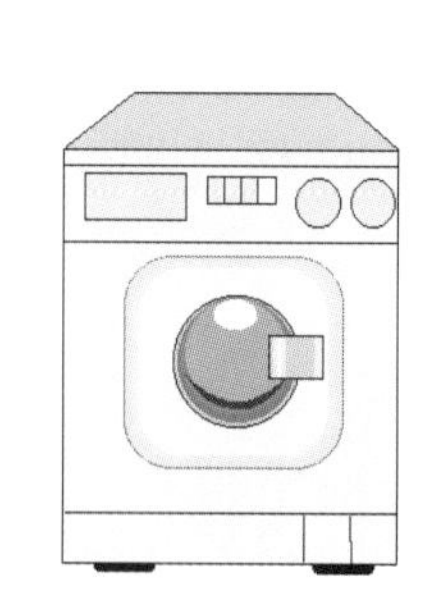

세탁소 주인: 재킷은 6,000원입니다.
jaekiseun yukcheonwonimnida
C'est 6,000 wons pour une veste.

푸휘: 이번 주 토요일에 입으려고 합니다만, 언제 찾으러 올까요?
ibeon ju toyoire ibeuryeogo hamnidaman eonje chajeureo olkkayo
Je vais la porter ce samedi. Quand est-ce que je peux revenir la récupérer?

세탁소 주인: 금요일 오후까지 배달해 드리겠습니다.
geumyoil ohukkaji baedalhae deurigetseumnida
Je vais vous la livrer vendredi après-midi.

푸휘: 감사합니다. Merci.
gamsahamnida

Vocabulaire et Phrases

- 재킷 la veste
- 어제 hier
- 배달하다 livrer
- 더러워지다 être sale(se salir)
- 2층 le deuxième étage
- 괜찮습니다 non, merci
- 아주 très
- 사다 acheter
- 그런데 mais
- 옆 à côté
- 세탁소 la blanchisserie
- 혼자 seul
- 멋있다 chic
- 묻다 se tâcher
- 이런 Oh, non!
- 건물 le bâtiment
- 같이 ensemble
- 많이 beaucoup

- 언제 quand
- 금요일 le vendredi
- 찾다 réupérer
- 입다 porter
- 실례합니다 excusez-moi
- 모르다 ne pas savoir
- 감사합니다 merci
- 사자마자 aussitôt que je (l')ai achetée
- ~만 mais
- 주인 le patron
- 세탁비 le tarif de blanchissage
- 토요일 le samedi
- 세탁하려고 pour faire un lavage
- 배달해 드리다 livrer
- 남대문 시장 le marché Namdaemun
- 이번 주 cette semaine
- 오후 l'après-midi

Exercices de Vocabulaire

세탁을 하다
setageul hada
laver / faire un nettoyage à sec

다림질을 하다
darimjireul hada
repasser

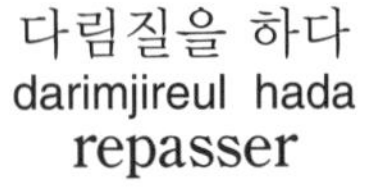

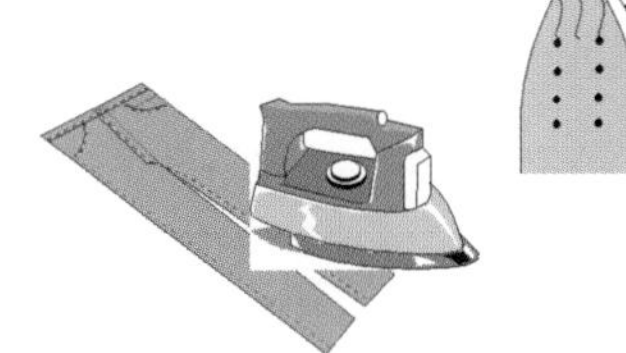

바짓단을 줄이다
bajitdaneul jurida
raccourcir des pantalons

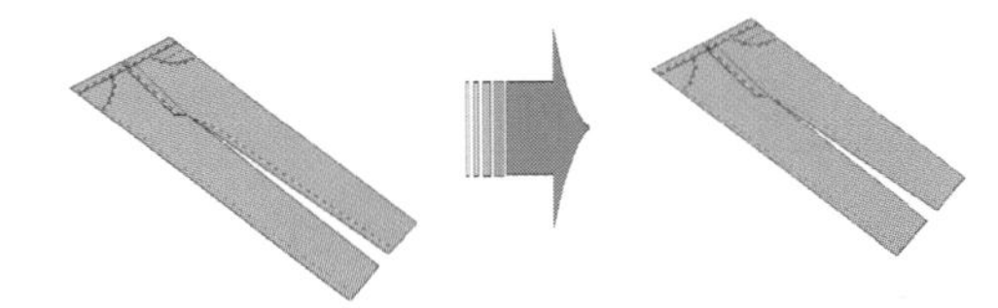

허릿단을 늘리다
heoritdaneul neullida
agrandir la taille

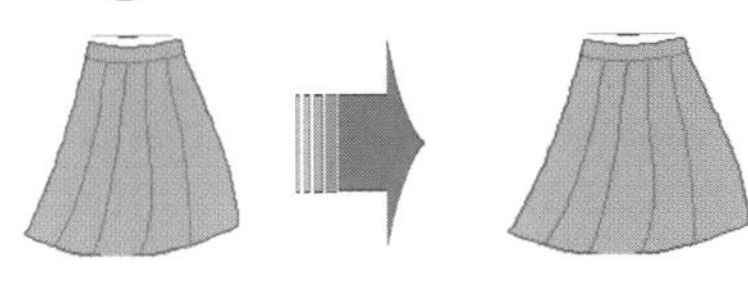

Structures Grammaticales et Expressions

1 L'expression '~자마자' exprime l'idée de 《dès que》 ou 《aussitôt que》. La deuxième action suit immédiatement la première.

사자마자 : aussitôt que je (l')ai acheté

밥을 먹자마자 회사에 갔습니다.
babeul meokjamaja hoesae gatseumnida
Il est allé au bureau aussitôt qu'il a mangé.

일어나자마자 학교에 갔습니다.
ireonajamaja hakgyoe gatseumnida
Il est allé à l'école aussitôt qu'il s'est levé.

집에 가자마자 친구에게 전화했습니다.
jibe gajamaja chinguege jeonhwahaetseumnida
J'ai téléphoné à mon ami aussitôt que je suis arrivé chez moi.

② L'expression '~(으)려고 하다' exprime《l'intention de faire quelque chose》.

> **이 재킷을 세탁하려고 합니다.**
> : Je voudrais faire un nettoyage à sec de cette veste.

무슨 운동을 하려고 합니까?
museun undong-eul haryeogo hamnikka
Quel sport vous allez faire?

한국어를 공부하려고 합니다.
hangugeoreul gongbuharyeogo hamnida
J'ai l'intention d'étudier la langue corénne.

친구를 만나려고 합니다.
chin-gureul mannaryeogo hamnida
Je vais voir mon ami.

양복을 맡기려고 합니다.
yangbogeul matgiryeogo hamnida
Je vais mettre mon costume à la blanchisserie.

③ L'expression '~까지' est une postposition, qui signifie《à》ou《jusqu'à》.

> **수요일까지 숙제를 제출하겠습니다.**
> : Je vais remettre mon devoir mercredi.

수원까지 40분 걸립니다. Il faut 40 minutes pour aller jusqu'à Suwon.
suwonkkaji sasipbun geollimnida

도서관까지 걸어갔습니다. J'ai marché jusqu'à la bibliothèque.
doseogwankkaji georeogatsemunida

밤 늦게까지 책을 읽었습니다. J'ai lu des livres jusqu'à l'aube.
bam neukkekkaji chaegeul ilgeotseumida

4시까지 한국어를 공부합니다. J'étudie le coréen jusqu'à 4 heures.
nesikkaji hangugeoreul gongbuhamnida

1 Faites des phrases au futur avec '겠' comme dans l'exemple suivant.

Exemple

세탁물을 맡기다 → 세탁물을 맡기겠습니다.
apporter des linges → Je vais apporter des linges.

(1) 양복을 사다 acheter un costume → ______
(2) 세탁소에 가다 aller à la blanchisserie → ______
(3) 선물을 배달하다 livrer un cadeau → ______
(4) 토요일에 찾다 récupérer samedi → ______
(5) 같이 가다 aller ensemble → ______

2 Réérivez les phrases comme dans les exemples suivants.

Exemple

공부하다 → 공부하려고 합니다.
travailler → J'ai l'intention de travailler.

(1) 커피를 마시다 boire du café → ______
(2) 수영을 하다 nager → ______
(3) 세탁물을 맡기다 remettre des linges → ______
(4) 일찍 자다 se coucher tôt → ______

3 Réécrivez les phrases comme dans l'exemple suivant.

Exemple

파티가 끝나다/세탁소에 가다 → 파티가 끝나자마자 세탁소에 갔습니다.
Aussitôt que la fête s'est terminée, je suis allé à la blanchisserie.

(1) 우유를 마시다/운동을 하다
→ ______

(2) 양복을 사다/세탁하다

→ ____________________

(3) 수업이 끝나다/식당에 가다

→ ____________________

(4) 일찍 일어나다/회사에 가다

→ ____________________

4 Répondez aux questions suivantes et discutez-en.

(1) 세탁소에 간 적이 있습니까?
Est-ce que vous êtes déjà allé à la blanchisserie?

(2) 무엇을 했습니까?
Qu'est-ce que vous avez fait?

(3) 세탁비는 양복 한 벌에 얼마입니까?
Combien coûte un nettoyage à sec pour un costume?

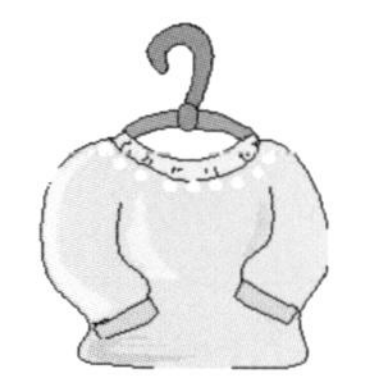

Lecture

(1) 어제 백화점에서 재킷을 샀습니다.
Hier j'ai acheté une veste dans un grand magasin.

(2) 세탁비는 얼마입니까?
Combien coûte un nettoyage à sec?

(3) 언제 찾으러 올까요?
Quand est-ce que je reviens pour (le) recupérer?

(4) 투피스 한 벌에 6,000원입니다.
C'est 6,000 wons pour un ensemble.

(5) 금요일 오후까지 배달해 드리겠습니다.
Je vais vous le livrer vendredi après-midi.

제 20 과

Leçon 20

편지를 쓰고 있습니다.

Je suis en train d'écrire une lettre.

Phrases Principales

1. 부모님께 편지를 쓰고 있습니다.
   bumonimkke pyeonjireul sseugo itseumnida
   Je suis en train d'écrire une lettre à mes parents.
2. 이 편지를 중국으로 부치려고 합니다. Je vais envoyer cette lettre en Chine.
   i pyeonjireul jung-gugeuro buchiryeogo hamnida

Dialogues

Dialogue 1

영주: 무엇을 하고 있습니까?
mueoseul hago itseumnikka
Qu'est-ce que vous faites?

푸휘: 편지를 쓰고 있습니다.
pyeonjireul sseugo itseumnida
Je suis en train d'écrire une lettre.

영주: 누구에게 쓰고 있습니까?
nuguege sseugo itseumnikka
A qui vous écrivez?

푸휘: 부모님께 쓰고 있습니다.
bumonimkke sseugo itseumnida
J'écris à mes parents.

그런데 봉투는 어떻게 씁니까?
geureonde bongtuneun eotteoke sseumnikka
Mais comment remplir l'enveloppe?

30 | 74

보내는 사람 (빠른우편표시) (우표첨부)
주소, 성명, 우편번호 기재
※발송인이 필요한 사항 기재가능

90 ~ 120 | 40

(우체국사용란)
등기취급시 접수국
등기번호표시
※이용자는 기재 불가

받는 사람
주소, 성명, 우편번호기재
※발송인이 필요한 사항 기재가능
□□□-□□□

※이 간격을 지키지 않으면 규격외 봉투로 간주되어 추가요금부담

140~235

(각 부분 기재위치는 ±5mm까지 가능)

영주: 앞면 중간 부분에 받을 사람의 주소와 이름을 쓰고,
apmyeon junggan bubune badeul saramui jusowa ireumeul sseugo
Au milieu de celle-ci, écrivez le nom et l'adresse du destinataire,

왼쪽 윗부분에 보내는 사람의 주소와 이름을 씁니다.
oenjjok witbubune bonaeneun saramui jusowa ireumeul sseumnida
et en haut à gauche, écrivez le nom et l'adresse du destinateur.

푸휘: 소포를 부치려면 우체국에 가야 됩니까?
soporeul buchiryeomyeon ucheguge gaya doemnikka
Faut-il aller à la poste pour envoyer un colis?

영주: 예, 직접 가셔야 됩니다.
ye jikjeop gasyeoya doemnida
Oui, il faut y aller vous-même.

Dialogue 2 (우체국에서) (à la poste)
uchegugeseo

푸휘: 이 편지를 중국으로 부치려고 합니다.
i pyeonjireul jung-gugeuro buchiryeogo hamnida
Je voudrais envoyer cette lettre en Chine.

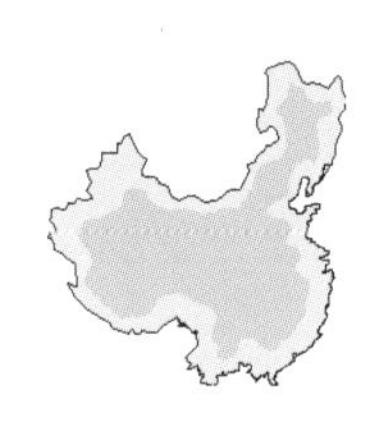

직원: 360원입니다. C'est 360 wons.
sambaek-yuksip wonimnida

푸휘: 이 소포도 부쳐 주십시오.
i sopodo buchyeo jusipsio
Et envoyez ce colis aussi, s'il vous plaît.

직원: 4,200원입니다. C'est 4,200 wons.
sacheonibaek wonimnida

깨지는 물건은 아닙니까?
kkaejineun mulgeoneun animnikka
Ce n'est pas fragile?

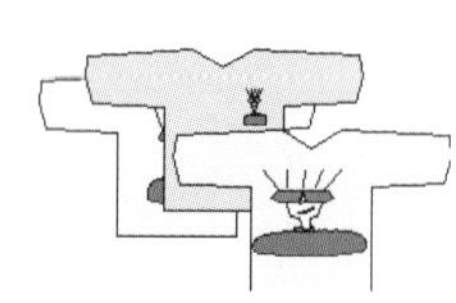

푸휘: 예, 티셔츠와 손수건입니다.
ye tisyeocheuwa sonsugeonimnida
Non, dedans il n'y a qu'un T-shirt et des mouchoirs.

그런데, 어느 정도 걸립니까?
geureonde eoneu jeongdo geolrimnikka
Mais, combien de temps faut-il?

직원: 요즈음은 바빠서 1주일에서 10일 정도 걸립니다.
yojeueumeun bappaseo iljuireseo sibil jeongdo geolrimnida
Comme on est très occupé, il faut compter 8 à 10 jours.

Vocabulaire et Phrases

- 하다 faire
- 쓰고 있다 être en train d'écrire
- 받을 사람 le destinataire
- 우체국 la poste
- 물건 un objet
- 티셔츠 un T-shirt
- 요즈음 ces jours-ci
- 부모님 les parents
- 중간부분 au milieu
- 보내는 사람 le destinateur
- 직접 soi-même
- 바쁘다 être occupé
- ～정도 environ/à peu près
- 편지 une lettre
- 부모님께 à mes parents
- 윗부분 en haut
- 가야 되다 il faut aller
- 부쳐 주다 envoyer
- 어느 정도 combien de temps
- 하고 있다 être en train de
- 그런데 mais
- 주소 l'adresse
- 부치다 envoyer
- 아닙니까? ce n'est pas～?
- 걸리다 prendre
- 바빠서 comme on est occupé
- 봉투 une enveloppe
- 앞면 en face
- 이름 le nom
- 소포 un colis
- 중국 la Chine
- 달다 peser
- 쓰다 écrire
- 어떻게 comment
- 왼쪽 gauche
- 가다 aller
- 손수건 un mouchoir
- 깨지다 être fragile

Exercices de Vocabulaire

국제우편 le courrier international
gukjeupyeon

국내우편 le courrier local
guknaeupyeon

소포 le colis
sopo

빠른우편 Le chronoposte
ppareunupyeon

특수우편물수령증

접수번호 번
종 별 빠른 보통 우편
중 량 g
요 금 원

부가취급	배증	내증	민원	특급
	특사	특송	통화	물품
	유가증권	대금교환	접수시각	우편자루
금액				원

*이 영수증은 손해 배상등의 청구에 필요하오니 잘 보관하십시오.
3402341-04311일 67㎜×95㎜

등기 la lettre recommandée
deunggi

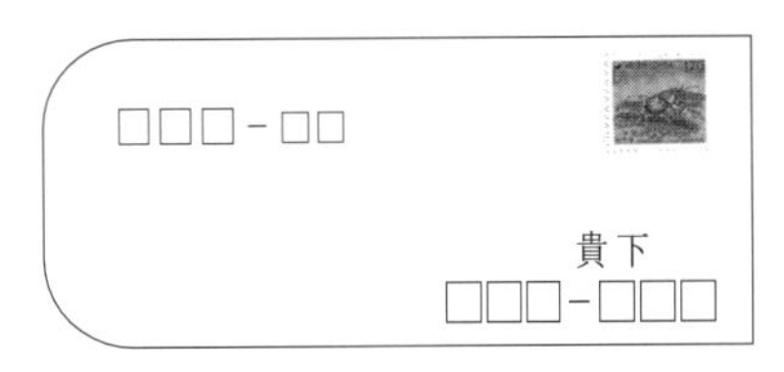

보통우편 le courrier ordinaire
botongupyeon

Structures Grammaticales et Expressions

① La phrase qui finit par '~고 있습니다' exprime l'aspect progressif du verbe comme "être en train de" en français et indique une action qui est en progression.

> **편지를 쓰고 있습니다.** : Je suis en train d'écrire une lettre.

한국어를 공부하고 있습니다. — Je suis en train d'étudier le coréen.
hangugeoreul gongbuhago itseumnida

중국어 숙제를 하고 있습니다. — Je suis en train de faire le devoir de chinois.
junggugeo sukjereul hago itseumnida

소포를 부치고 있습니다. — Je suis en train d'expédier un colis.
soporeul buchigo itseumnida

② Le connecteur '~고' juxtapose deux propositions, il est équivalent à 《et》.

> **동생은 공부하고, 나는 편지를 씁니다.**
> : Mon frère travaille et j'écris une lettre.

친구는 밥을 먹고, 나는 빵을 먹습니다.
chinguneun babeul meokgo naneun ppang-eul meoksseumnida
Mon ami mange du riz et je mange du pain.

친구는 10시에 자고, 나는 12시에 잡니다.
chinguneun yeolsie jago naneun yeoldusie jamnida
Mon ami se couche à 10 heures et je me couche à 12 heures.

영주 씨는 테니스를 좋아하고, 나는 수영을 좋아합니다.
yeongju ssineun teniseureul joahago naneun suyeong-eul joahamnida
Mlle. Youngjoo aime le tennis et j'aime la natation.

③ Le connecteur de cause '~아서/~어서', signifie 《parce que》.

> **바빠서 오래 걸립니다.** : Ça va durer longtemps parce qu'on est chargé.

게을러서 늦게 일어납니다. — Il se lève tard parce qu'il est paresseux.
geeulleoseo neutge ireonamnida

슬퍼서 울었습니다. — J'ai pleuré parce que j'étais triste.
seulpeoseo ureotseumnida

4 L'expression '∼정도' exprime une certaine quantité, une certaine durée.

학생이 20명 정도입니다. : Il y a environ 20 élèves.

학교까지 몇 분 정도 걸립니까?
hakgyokkaji myeot bun jeongdo geollimnikka
Environ combien de temps faut-il pour aller à l'école?

5 L'expression '∼면' correspond à 《si》 en français et '∼(으)려면' signifie 《si (vous) avez l'intention de faire》.

우체국에 가면 소포를 부칠 수 있습니다.
: Si vous allez à la poste, vous pouvez envoyez le colis.

소포를 부치려면 우체국에 가야 됩니다.
: Si vous avez l'intention d'envoyer un colis, il faut aller à la poste.

공부를 하려면 도서관에 가야 합니다.
gongbureul haryeomyeon doseogwane gaya hamnida
Si vous voulez travailler, vous devez aller à la bibliothèque.

빨리 달리면 경주에서 이길 수 있습니다.
ppalli dallimyeon gyeongjueseo igil su itseumnida
Si vous courez vite, vous pouvez gagner à la compétition.

Exercices

1 Complétez les dialogues suivants comme dans les exemples. (1)∼(2)

(1)

Exemple
편지를 쓰다 → 편지를 쓰려면 어떻게 합니까?

① 소포를 부치다 envoyer un colis
→ ______________________

② 우체국에 가다 aller à la poste
→ ______________________

③ 무게를 달다 peser
→ ______________________

④ 도서관에 가다 aller à la bibliothèque
→ ______________________________

⑤ 양복을 사다 acheter un costume
→ ______________________________

(2)

Exemple
편지를 쓰다 → 편지를 쓰고 있습니다.

① 무게를 달다 peser
→ ______________________________

② 전화를 걸다 téléphoner
→ ______________________________

③ 우유를 마시다 boire du lait
→ ______________________________

④ 책을 읽다 lire un livre
→ ______________________________

⑤ 한국어를 공부하다 apprendre le coréen
→ ______________________________

2 Mettez '~에게' ou '~께' dans les parenthèses.

(1) 친구(   ) 편지를 쓰고 있습니다.
Je suis en train d'écrire une lettre à mon ami.

(2) 할아버지(   ) 전화를 걸었습니다.
J'ai téléphoné à mon grand-père.

(3) 선생님(   ) 소포를 부쳤습니다.
J'ai envoyé un colis à mon professeur.

(4) 동생(   ) 선물을 주었습니다.
J'ai donné un cadeau à mon frère.

(5) 사장님(   ) 한국어를 가르쳐 드리고 있습니다.
Je suis en train d'apprendre le coréen à mon patron.

3 Répondez aux questions suivantes et discutez-en.

(1) 편지 봉투는 어떻게 씁니까?
Mais comment remplir l'enveloppe?

(2) 소포를 부치려면 어떻게 합니까?
Comment faire pour envoyer un colis?

(3) 우체국에 간 적이 있습니까?
Est-ce que vous êtes déjà allé à la poste?

(4) 부모님께 편지를 쓴 적이 있습니까?
Est-ce que vous avez déjà écrit une lettre à vos parents?

Lecture

(1) 친구에게 편지를 쓰고 있습니다.
Je suis en train d'écrire une lettre à mon ami.

(2) 부모님께 엽서를 쓰고 있습니다.
Je suis en train d'écrire une carte postale à mes parents.

(3) 오늘 우체국에서 편지와 소포를 부쳤습니다.
J'ai envoyé aujourd'hui une lettre et un colis à la poste.

(4) 깨지는 물건은 아닙니까?
Ce n'est pas fragile?

(5) 이 편지를 미얀마에 부치려고 합니다.
Je voudrais envoyer cette lettre à Myanmar.

한국 지도
La Carte de la Corée

Index

(국문 · 영문 · 불문 · 일문 색인)

ㄱ

ㅇ

ㅊ

ㅋ

ㅌ

판 권

저자와의 협의 하에 인지를 생략함

FIRST STEP IN KOREAN FOR FRENCH

2003년 6월 5일 초판 발행
2017년 7월 1일 초판 제6쇄 발행

原著者 慶熙大學校 平生敎育院
代表著者 李 淑 子
發行者 金 哲 煥
發行處 民衆書林

10881 경기도 파주시 회동길 37-29
(파주출판문화정보산업단지)
전화 031) 955-6500~6
Fax 031) 955-6525
홈페이지 http: // www.minjungdic.co.kr
등록 1979. 7. 23. 제2-61호

정가 13,000원

ISBN 978-89-387-0010-0 13710

FIRST STEP IN KOREAN

외국인을 위한

한국어 입문 시리즈

한국어를 쉽고 빠르게 익힐 수 있는 지름길!

경희대 이숙자 교수

- FIRST STEP IN KOREAN / 외국인을 위한 한국어 입문
- FIRST STEP IN KOREAN FOR CHINESE / 중국인을 위한 한국어 입문
- FIRST STEP IN KOREAN FOR FRENCH / 프랑스인을 위한 한국어 입문
- FIRST STEP IN KOREAN FOR JAPANESE / 일본인을 위한 한국어 입문
- FIRST STEP IN KOREAN FOR RUSSIAN / 러시아인을 위한 한국어 입문
- FIRST STEP IN KOREAN FOR SPANISH / 스페인인을 위한 한국어 입문
- EXPLORING KOREAN / 외국인을 위한 한국어 읽기